BENOÎT GIGNAC

LE MAIRE QUI RÊVAIT SA VILLE

JEAN DRAPEAU

BENOÎT GIGNAC

LE MAIRE
QUI RÊVAIT
SA VILLE

JEAN DRAPEAU

Catalogage avant publication de Bibliothèque et Archives nationales du Québec et Bibliothèque et Archives Canada

Gignac, Benoit, 1955-

Jean Drapeau : le maire qui rêvait sa ville

Comprend des réf. bibliogr. et un index.

ISBN 978-2-923681-28-3

1. Drapeau, Jean, 1916-1999. 2. Montréal (Québec) - Histoire - 20e siècle. 3. Maires - Québec (Province) - Montréal - Biographies. I. Titre.

FC2947.26.D73G53 2009   971.4'2804092   C2009-941813-4

Directeur de l'édition
MARTIN BALTHAZAR

Éditrice déléguée
SYLVIE LATOUR

Infographie
MARC LEBLANC

Conception de la couverture
KUIZIN STUDIO

Photo de la couverture 1
LA PRESSE CANADIENNE

Révision
SOPHIE SAINTE-MARIE

L'éditeur bénéficie du soutien de la Société de développement des entreprises culturelles du Québec (SODEC) pour son programme d'édition et pour ses activités de promotion.

L'éditeur remercie le gouvernement du Québec de l'aide financière accordée à l'édition de cet ouvrage par l'entremise du Programme de crédit d'impôt pour l'édition de livres, administrés par la SODEC.

Nous reconnaissons l'aide financière du gouvernement du Canada par l'entremise du Programme d'aide au développement de l'industrie de l'édition (PADIÉ) pour nos activités d'édition.

Dépôt légal - 4e trimestre 2009

ISBN 978-2-923681-28-3

Imprimé et relié au Canada

Les Éditions
LA PRESSE

Président
ANDRÉ PROVENCHER

Les Éditions La Presse
7, rue Saint-Jacques
Montréal (Québec)
H2Y 1K9

À Jean-Robert Choquette, Suzanne Lareau,
Charles-Mathieu Brunelle, Louise Sicuro, Daniel Gauthier,
Gaétan Morency, Simon Brault, Dinu Bumbaru,
Jean-François Pronovost et tous ces autres bâtisseurs
de villes et de villages. Je ne peux les nommer tous.
Ils se reconnaîtront.

Merci à Philippe Gignac, recherchiste d'une autre
génération, mais néanmoins éclairé, ainsi qu'à
Réal Burelle, lecteur avisé.

Il n'y a pas de passé qui perdure à Montréal. Il n'y a que des habitants qui conservent le souvenir d'une ville qui a brusquement cessé d'exister à un moment donné pour être remplacée par une autre. Comme les habitants d'une ville reconstruite après un bombardement. Notre forteresse volante s'appelait Jean Drapeau.

Jean-Claude Germain
Le cœur rouge de la bohème,
historiettes de ma première jeunesse

TABLE DES MATIÈRES

Préface

Jean Drapeau, maire de Montréal durant près de 30 ans, a laissé une marque indélébile sur Montréal. Son héritage divise les historiens, les urbanistes et les Montréalais. Le succès de l'Expo, la fierté des Olympiques, l'héritage du métro, c'est tout ça, Jean Drapeau… mais à quel prix ?

Aujourd'hui, certains rêvent d'un autre Drapeau pour Montréal. Un tel personnage au style aussi flamboyant et aventureux serait-il encore possible ? Serait-il souhaitable ? Jean Drapeau serait-il élu aujourd'hui ?

Pour ceux qui comme moi ont moins de 50 ans, Jean Drapeau est une figure mythique, emblématique d'une période lointaine où l'on était Canadien français plutôt que Québécois. Montréal était alors une ville plus facile à lire, avec ses composantes dominantes francophones et anglophones. Une ville sans doute plus simple à gouverner, dans la mesure où diriger ne nécessitait pas de consultation – avec tous les succès, mais aussi les écueils, que cela peut comporter. Tout le monde le sait, il serait bien difficile de faire adopter aujourd'hui un projet de création d'îles dans le Saint-Laurent, même pour un projet aussi grandiose qu'une exposition universelle.

Jean Drapeau est sans contredit un homme qui voyait grand et qui savait convaincre, sinon carrément imposer ses vues. C'est l'homme qui a combattu le Red Light, ce district aujourd'hui presque complètement disparu, mais qui a fortement contribué à l'image de marque de Montréal. Les lèvres de Tourisme Montréal et celles qui surplombent le Musée d'art contemporain évoquent un Montréal qui ne plairait pas au maire Drapeau.

Jean Drapeau a certes été un homme qui rêvait sa ville plus grande qu'elle ne l'était. Le très grand intérêt du livre de Benoit Gignac est de réduire la part du mythe et de ramener cet homme à des proportions plus humaines. Ainsi, à la lecture, il se dégage plusieurs réflexions importantes sur le leadership à la Drapeau.

D'abord, à tous ceux qui piaffent d'impatience, rappelons, si besoin est, que le leadership n'a pas d'âge. Il est affaire de vision, de charisme et de détermination. Jean Drapeau est devenu maire de Montréal à 38 ans. Barack Obama avait 47 ans lorsqu'il a accédé à la présidence des États-Unis. Que ceux qui ont quelque chose à proposer pour leur ville se lèvent !

Par contre, le leadership demande préparation et travail. L'homme que l'on découvre au fil de ces pages ne s'est pas improvisé politicien. Il n'y est pas arrivé par accident ou encore parce qu'il n'avait pas d'autres options. Et une fois au pouvoir, les semaines ont été longues et les journées très remplies. Gouverner n'est pas pour les paresseux. Montréal a besoin de bourreaux de travail.

Enfin, le leadership est affaire d'équipe. Jean Drapeau a réussi ses projets parce qu'il a su s'adjoindre des collaborateurs forts, efficaces et déterminés. Le Montréal d'aujourd'hui est encore plus complexe. Les grands leaders doivent savoir déléguer. Et ceux qui aspirent à diriger Montréal doivent démontrer qu'ils sont entourés de gens compétents et expérimentés, qui méritent les responsabilités auxquelles ils aspirent.

Plusieurs estiment, et j'en suis, qu'il faut tourner la page. Mais Jean Drapeau représente un chapitre de notre histoire riche en leçons.

Par Michel Leblanc, président et chef de la direction, Chambre de commerce du Montréal métropolitain

Avant-propos

Le fantôme de Jean Drapeau

En novembre 1990, j'entrais à l'hôtel de ville de Montréal à titre de chef de cabinet adjoint, directeur des communications du Comité exécutif et attaché de presse du maire Jean Doré. Le Rassemblement des citoyens et citoyennes de Montréal (RCM), cette magnifique bande d'idéalistes dont je garde un très beau souvenir, venait d'être reporté au pouvoir, et j'arrivais afin de prendre la relève de Marielle Séguin, l'une des meilleures communicatrices de sa génération.

On m'indiqua mon bureau situé au premier étage, à l'extrémité ouest de l'édifice monumental. L'impressionnant bâtiment fut construit entre 1872 et 1878 selon les plans des architectes Hutchison et Perrault, et reconstruit en grande partie en 1922 à la suite d'un incendie. Il emprunte à différents grands styles, entre autres Second Empire et Beaux-Arts. Toujours est-il qu'il fait de l'effet.

De ma fenêtre, devant laquelle je me plantai comme tout le monde lors de ma première visite, je pouvais observer la place Vauquelin, lieu historique parmi tant d'autres dans ce secteur de la ville. La place accueillit au fil des siècles une résidence de jésuites, des prisons, une caserne, et fut aussi une rue toute simple. Avec sa jolie fontaine (en réparation la plupart du temps lors de mes trois années à cet emploi, ce qui me permit d'observer le travail fascinant de circonspection de nombreux cols bleus) et la statue de ce capitaine français qui se rendit célèbre lors de la bataille de Louisbourg, cet aménagement est devenu un lien piétonnier charmant entre le Champ-de-Mars et la place Jacques-Cartier où s'élève d'ailleurs (beaucoup plus haute que celle du capitaine) la statue d'un autre batailleur renommé, l'amiral Nelson. La place Vauquelin fut aussi le lieu de rassemblement de nombreuses manifestations, dont certaines plus violentes que d'autres auxquelles j'assistai.

Pour accéder à mon bureau lorsque j'entrais dans l'édifice par les grandes portes situées sur la rue Notre-Dame, je devais tourner à gauche et traverser une bonne partie du hall d'honneur. Pour certains, cette grande salle est tout ce qu'il y a de rébarbatif : plafonds hauts, murs de marbres beiges, pilastres en marbre d'Escalette aux chapiteaux corinthiens en bronze dorés, marbre rouge et vert au sol, luminaires imposants, etc. Pour d'autres, ce lieu respire l'histoire, la vie et le grand monde.

Mon bureau était situé au bon étage. De là, on pouvait d'abord accéder facilement à la salle du Conseil municipal, encore une fois impressionnante avec son fauteuil du président (anciennement celui du maire), ses murs et ses bureaux en noyer, en teck, en ébène et en palissandre, de même que ses grands vitraux donnant sur le nord.

Plus important encore, mon espace de travail meublé dans le style Louis XV (ou était-ce XVI ?) communiquait par des portes attenantes à ce que nous appelions le bureau de fonction, lieu de réception protocolaire et de rencontres de presse, décoré dans le prolongement de la salle du Conseil. Utile pour un responsable des communications.

Je n'étais en poste que depuis quelques jours lorsqu'on m'expliqua que «le bureau de fonction» et un autre espace, situés à côté du mien, avaient anciennement été occupés par Jean Drapeau. De fait, l'une des deux pièces lui servait autrefois de bureau d'apparat.

Toute cette partie de l'hôtel de ville, située à l'ouest au premier étage, était pour ainsi dire le «coin» de M. Drapeau, qui y avait aussi occupé un autre bureau, de travail celui-là, et une salle de réunion, jusqu'à son départ. Pour des raisons pratiques ainsi que pour marquer une rupture avec l'ancien régime, on avait décidé en 1986 d'installer le bureau du maire au deuxième étage, dans le coin sud-ouest du bâtiment, jusque-là réservé au président du Comité exécutif.

J'avoue que, en apprenant ce déménagement tout de même historique, je fus interloqué. D'abord, je me dis que cette décision était surprenante venant d'une administration qui se disait, non sans raison, plus proche des citoyens et plus ouverte. L'ancien emplacement des bureaux de M. Drapeau avait pourtant l'avantage d'être au beau milieu de l'action, relié au Conseil municipal et au grand hall. Mais ma surprise s'estompa rapidement. Après tout, il n'y avait là que matière symbolique, M. Drapeau ayant construit de son autorité des murs invisibles particulièrement étanches autour de lui au cours des décennies précédentes.

Une chose continua de me fasciner. J'étais dans le bureau attenant à celui du maire le plus important qu'ait connu Montréal, plus grand que Médéric Martin ou Camilien Houde. J'occupais pratiquement les mêmes espaces que ceux qui furent pendant de nombreuses années ses bras gauche et droit : Charles Roy et Paul Leduc.

Quelquefois, lors de soirées à lire des dossiers en attendant des décisions du Comité exécutif ou des fins de débats au Conseil municipal, je me prenais à imaginer M. Drapeau entrant sans frapper par la porte située au centre du mur nord de mon bureau et venant s'asseoir dans l'un des deux fauteuils pompeux, rayés et mal rembourrés installés devant ma table de travail.

Je l'imaginais à la fin de juillet 1967, après le départ précipité du général de Gaulle vers la France, un soir de crise d'octobre, ou un matin de novembre 1975, lorsqu'on lui retira le dossier olympique. Il me parlait, pour se défouler ou pour réfléchir à voix haute, gesticulant et échafaudant de nouveaux plans.

Cette rêvasserie était pourtant difficile à concevoir. En 1990, à l'hôtel de ville, on ne parlait plus beaucoup de Jean Drapeau, si ce n'est pour rappeler que les choses avaient changé pour le mieux. Sans aller jusqu'à parler de bannissement (jamais à mon souvenir on ne lui manqua de respect en ma présence), on lui avait réservé le même sort qu'à tous les autres vaincus politiques, avec peut-être cette pointe supplémentaire de satisfaction d'avoir véritablement renversé le porte-étendard d'un régime quasi féodal. Un peu comme lorsque les libéraux entreprirent de sortir le Québec de la grande noirceur.

L'administration et le style développés sous le RCM étaient aux antipodes du décorum, des manières et des valeurs promues sous le règne de M. Drapeau. À titre d'exemple de ces différences profondes, Jean Doré me raconta un jour sa première rencontre avec M. Drapeau :

« Après avoir été défait à l'élection générale comme chef du RCM, j'ai profité d'une élection partielle au printemps de 1984 pour me faire élire à titre de conseiller municipal. À mon arrivée à l'hôtel de ville, j'ai demandé à rencontrer M. Drapeau qui m'a accueilli dans son bureau courtoisement, en me disant : « Bienvenue dans ma maison. » Et moi de lui répondre : " M. Drapeau, je crois qu'il s'agit de la maison des citoyens. " »

Curieux renversement de l'histoire pour M. Drapeau qui s'était fait élire en 1954 en digne réformateur du fonctionnement municipal, représentant d'un mouvement issu du peuple.

Nous étions dans « sa » maison, mais imbus d'une autre époque. Je faisais partie d'un autre monde. Cela dit, mon bureau était sans aucun doute chargé d'histoire et meublé d'une certaine idée de sa présence. C'est probablement pourquoi, de temps en temps, je voyais surgir le fantôme de Jean Drapeau.

Je n'ai jamais eu la chance de rencontrer l'homme en chair et en os. Voilà que j'entreprends de raconter son parcours, le plus objectivement possible, animé du désir de faire comprendre à travers lui l'importance souvent insoupçonnée de la politique municipale dans nos vies quotidiennes de même que les défis que représente la volonté d'organiser et de développer les villes pour le mieux-être des citoyens.

Quel Montréal ?

Ce livre se veut aussi humblement une occasion de réfléchir au Montréal que l'on cherche et auquel on rêve, ainsi qu'aux meilleurs moyens d'y arriver. C'est une question qui devrait intéresser tous les Québécois.

Jean Drapeau a-t-il leurré tout le monde avec ses ambitions et ses réussites d'envergure internationale ? Ce faisant, a-t-il nié la réalité objective et l'inéluctable déclin de SA ville, qui était bel et bien amorcé avant lui et qui se poursuivit durant ses années de pouvoir ?

Se servant de son exemple, doit-on tenter de recréer un Montréal plus ambitieux, plus grandiose et se refuser à rapetisser au risque même de se retrouver en déséquilibre ?

J'espère qu'à la fin de cet ouvrage les lecteurs auront gagné en compréhension, en respect et en patience envers les politiciens municipaux, en plus, évidemment, de s'être divertis. J'espère qu'ils seront aussi plus à même de faire la part des choses quant à leur Montréal, malgré tout l'une des villes où il est encore si agréable de vivre.

CHAPITRE 1

ROSEMONT POUR TOUJOURS

« Nous appartenons au destin d'une espèce particulière ;
l'espèce tragique. Pour eux, la question n'est pas de savoir
s'ils sont riches ou malheureux ou grands ou petits,
mais si demain ils se lèveront pour voir le jour
ou rentrer dans le néant. »

Jean Drapeau citant Lionel Groulx

Le 18 février 1916, Médéric Martin, maire de Montréal depuis 2 ans, s'occupe d'affaires urgentes. La Ville est aux prises avec un sérieux déficit financier, et le gouvernement du Québec menace de s'en mêler. L'industriel devenu politicien doit aussi commencer à faire face à des rumeurs de favoritisme et de corruption. Et c'est sans compter sur une possible conscription des Montréalais à la guerre qui sévit en Europe, mobilisation obligatoire à laquelle il a l'intention de s'opposer formellement. De son bureau de l'hôtel de ville, il encaisse déjà les coups durs, lui qui sera à la tête de la Ville pendant 12 ans.

Martin voit à la destinée de la métropole du Canada. L'industrie manufacturière roule à plein régime. Grâce à l'immigration, aux nombreuses naissances et à l'exode de la campagne vers la ville de nombreux Canadiens français et anglais, la population montréalaise croît à un rythme soutenu. Et puis Montréal s'agrandit ! Le mouvement d'annexion, amorcé en 1883, a pris de la vigueur en 1905 et se poursuivra jusqu'en 1918. Au total, on procédera à 33 annexions de territoires qui permettront d'intégrer 23 municipalités distinctes[1]. À titre d'exemple, en 1916, les villes de Cartierville et Sault-au-Récollet se joignent à Montréal. Elles seront suivies de Maisonneuve deux ans plus tard.

En ce 18 février, enfoncé dans l'hiver et les nombreux défis qui se posent à lui, Médéric Martin ne se doute pas que le plus grand maire de l'histoire de sa ville vient de naître sur la 3e Avenue à Rosemont : Jean Drapeau, fils de Joseph-Napoléon Drapeau et de Berthe (née Alberta) Martineau. Il portera le nom de son frère décédé d'une méningite 2 ans plus tôt, à l'âge de 20 mois.

C'est la fête dans la petite famille qui compte aussi l'aînée, Thérèse. Jean sera le seul fils Drapeau. Une autre fille, Madeleine, naîtra 11 ans plus tard.

Les parents sont montréalais de naissance. Alberta, fille de boucher, est née dans le « Faubourg à m'lasse », un quartier au sud-est de la ville situé près du port, traversé par les rues Sainte-Catherine et Notre-Dame. On appelle l'endroit ainsi en référence aux bateaux antillais qui viennent déverser leurs cargaisons de mélasse dans le port. Joseph-Napoléon est quant à lui un pur produit de Rosemont, qu'on appelait au XIXe siècle le village de la Petite-Côte, devenu municipalité de Rosemont en 1905, elle-même annexée à Montréal 5 ans plus tard. Le quartier, avant tout ouvrier, est peuplé de cheminots travaillant aux usines Angus de la CPR (Canadian Pacific Railways), le plus grand complexe industriel de l'époque en Amérique du Nord. Y habitent aussi des cols blancs et des professionnels qui ont accès aux autres coins de la ville grâce au transport en commun. Rosemont, traversé par l'artère commerciale Masson, vit au rythme des « p'tits » et des « gros chars » (tramways et trains) tout autant que des voitures commerçantes souvent mues par des chevaux afin de livrer la glace, le lait et autres nécessités.

Papa Drapeau, orphelin de père depuis l'âge de trois ans, a dû apprendre à se débrouiller seul. Ayant pratiqué jusque-là 36 métiers en manufacture, en commerce et dans l'immobilier, il peine pour soutenir sa famille. Son maigre salaire ne suffit pas à la faire vivre convenablement, et l'arrivée du nouveau Jean, bien que considérée comme un miracle étant donné la mort du fils aîné, n'arrange rien. C'est alors que Berthe s'offre en renfort. Elle a un véritable talent pour le chant classique que ses parents ont vu à développer dans sa jeunesse. Trois soirs par semaine, elle fait garder les enfants, prend un tramway, qui depuis peu relie le quartier au centre-ville, et se rend chanter des airs d'opéras dans les cinémas muets durant les entractes. Elle a beaucoup de succès et elle amasse des sommes considérables. Le jeune Jean Drapeau sera fasciné par ce talent artistique de sa mère qui ne se gêne pas pour égayer la maison de ses vocalises.

« Je me souviens de certains soirs d'été où, en arrivant à la maison, je voyais un petit attroupement devant chez nous. Les fenêtres étaient ouvertes et les gens écoutaient ma mère chanter », confiera Jean Drapeau aux biographes Purcell et McKenna[2]. Il en restera marqué à jamais et cela le poussera, comme nous le verrons plus loin, à certaines initiatives aventureuses.

Ainsi va la vie chez les Drapeau jusqu'à ce que malheureusement la maladie frappe le clan une deuxième fois. Thérèse, la fille aînée âgée de cinq ans, est atteinte d'épilepsie, qu'on appelle à l'époque « le grand mal ». Une maladie absolument honteuse et pour laquelle on enferme souvent les enfants à la noirceur sans trop savoir pourquoi, si ce n'est pour les protéger du diable.

C'en sera fini de la carrière de Mme Drapeau, femme joyeuse, corpulente, excellente cuisinière qui doit dès lors se consacrer à son enfant malade, en crise 3 jours sur 10.

Les années passent et M. Drapeau, qui s'est lancé dans les assurances à la fin de la guerre, a maintenant son propre bureau à quelques pas de la nouvelle maison familiale, située au deuxième étage d'un immeuble de la 5e Avenue, à deux pas de l'église et de l'école. C'est dans cette rue de la paroisse Sainte-Philomène que Jean Drapeau vivra jusqu'à 16 ans. Son père, devenu plus à l'aise financièrement, y fera construire un duplex assez luxueux pour l'endroit. Le fils unique fréquentera l'école primaire Saint-Jean-de-Brébeuf dirigée par les frères maristes, située juste en face de la maison.

Jean Drapeau sera ce qu'on appelle un enfant sage, à la limite de la marginalité. Il est couvé par sa mère qui, après avoir perdu un fils et vivant maintenant les affres de la maladie de sa fille, voit en lui l'espoir de la famille. Le jeune enfant est un intellectuel. Ça se voit tout de suite. Guy Picher, qui sera chauffeur de M. Drapeau pendant 21 ans et qui a grandi dans la même rue, se souvient du jeune Jean : « Nous ne jouions pas ensemble. Lui, ce n'était pas du type qui jouait dans la rue. C'était un gars pas mal studieux. On savait qu'un jour… mais maire de Montréal, non, ça, on ne s'en doutait pas[3]. »

Durant les années 1920, J.-N. Drapeau travaille énormément. Il n'est pratiquement jamais à la maison. Il faut dire qu'il ajoute à sa profession d'assureur une passion profonde : celle de la politique. Conservateur au fédéral et au provincial, il est du mauvais bord plus souvent qu'à son tour, mais, qu'à cela ne tienne, il agit inlassablement à titre d'organisateur lors des campagnes électorales. Il se présentera aussi sans succès au Conseil de la Ville en 1930 et 1936, mais obtiendra par la suite le poste qu'il convoite. Il sera conseiller municipal pendant 26 ans, et ce sera en partie sous le règne de son fils.

Se consacrant à son travail, à la stricte pratique religieuse quotidienne qui est imposée à toute la famille et à toutes ses autres occupations, M. Drapeau n'a vraiment de temps pour ses enfants que le dimanche et au moment des anniversaires et fêtes. Ce comportement d'époque maintes fois décrit, ce rituel minimal que Jean Drapeau reprendra lui-même avec les siens 30 ans plus tard, est le propre de plusieurs hommes de sa génération. Les enfants sont élevés avant tout par les femmes. Les hommes, quand ils sont responsables, sont essentiellement des pourvoyeurs et des préfets de discipline.

« C'était un homme discipliné et strict, mais juste, dit Jean Drapeau. Nous devions obéir. C'était la règle. Mais jamais il ne nous a donné la fessée. Ma mère et lui trouvaient d'autres sortes de punitions[4]. »

La vie du jeune Jean suit donc son cours entre l'Église omniprésente, l'école et la musique. Berthe Drapeau, qui ne peut plus mener sa carrière artistique, est chef de chorale à l'église du quartier, et sa réputation l'amène quelquefois jusqu'à la basilique Notre-Dame où elle prend en charge la partie musicale de la messe de minuit. Il s'agit d'un accomplissement hors du commun. Chanter à la basilique Notre-Dame, c'est un peu comme s'exécuter à la Scala de Milan !

Le fils unique assiste évidemment à ces événements spectaculaires qui comprennent aussi de nombreux « discours ». Les messes sont des assemblées auxquelles on ajoute un certain décorum. Voilà ce que, probablement, il saisit instinctivement. Ce sera son truc, le spectacle utile. Lui, l'enfant protégé, le petit homme frêle qui n'est pas doué pour l'activité physique, tirera de ces prestations religieuses des enseignements et des rêves qui le guideront toute sa vie.

Dès l'école primaire, il se fait remarquer par son élocution. Il cherche continuellement le bon mot. Quand il en trouve un, il s'en vante devant la classe. Il va même jusqu'à risquer de petits discours. Il ne peut pas chanter comme sa mère, mais il peut tout de même se faire remarquer par sa voix. Et puis il y a papa qui assiste lui aussi à des discours et qui peut en prononcer de temps en temps. Du confessionnal à la sacristie (Jean Drapeau sera servant de messe comme bien d'autres garçons de l'époque), en passant par la cour d'école et le trottoir, le fils de J.-N. et de Berthe se démarque par la parole. À 10 ans, il est ce que l'on appelle aujourd'hui un *nerd*. « Ça va nous faire un notaire ou un petit curé de plus », se disent la plupart. Ne le cherchez pas sur les patinoires ou dans la cour d'école à se battre. Ce n'est pas son genre. Sans pouvoir la qualifier précisément, Jean a déjà choisi sa voie. Elle sera publique.

Auray Blain, ami d'enfance, se souvient : « Il tenait séance sur le trottoir en face de chez lui ou dans la cour d'école, de l'autre côté de la rue. Pendant les périodes électorales, il jouait au politicien et faisait des discours ponctués de " si je suis élu ". Nous étions peut-être une douzaine à trépigner autour de lui, et c'était à qui applaudirait ou sifflerait le plus fort. Alertés par le vacarme, les voisins sortaient sur le balcon pour l'écouter. Parfois, il se trouvait avec la moitié de la 5e Avenue pour l'écouter[5]. »

De temps en temps, il utilise l'estrade de la salle paroissiale pour s'exercer sans permission. Il joue de la parole comme d'autres jouent aux billes. Inlassable « placoteux » d'à peine 13 ans, il prononcera des discours officiels devant et en faveur de son père, au moment des campagnes électorales. Il est déjà entré dans « sa » religion.

En français

Au milieu des années 1920, Montréal, très prospère, compte environ 700 000 habitants dont 60 % sont francophones. Les cloisons entre les deux communautés les plus importantes, les Canadiens français et les Canadiens anglais, dominant financièrement et économiquement, sont bien ancrées. Des sociétés comme la Banque de Montréal, la Sun Life et Bell sont devenues puissantes. Aussi la concentration qui s'exerce dans le secteur commercial et manufacturier laisse-t-elle peu de place aux francophones. La plupart de ceux-là, quand ils sont en affaires, œuvrent dans de petites et moyennes entreprises.

Mais une classe moyenne se développe. Et puis les conditions de logement s'améliorent. L'éducation aussi, même si les catholiques francophones accusent toujours un retard par rapport aux anglo-protestants. De plus en plus d'enfants francophones se rendent jusqu'à la sixième année.

Les choses vont de mieux en mieux jusqu'à ce que le krach de 1929 vienne frapper durement la métropole, particulièrement de 1930 à 1933. Ce sera une longue période de disette pour bien des citoyens. Même les nombreux projets d'infrastructures publiques comme la construction du Jardin botanique que mèneront ensemble le frère Marie-Victorin et le maire Camilien Houde ne viendront pas à bout de la dépression.

« La classe moyenne qui a bénéficié de la prospérité des années 1920 subit durement les contrecoups de la crise, en particulier [...] les francophones. La clientèle des petits commerçants et des professionnels arrive mal à payer ses factures d'alimentation et réduit sa consommation de services. Pour beaucoup, les années 1930 seront synonymes de déchéance sociale et même de faillite. C'est l'époque des rêves brisés[6]. »

Au plus beau de ce qu'une crise peut produire, les plus fortunés, lorsqu'ils pourront encore s'acheter du lait ou du beurre, ouvriront leurs portes aux nécessiteux. Quant aux plus méprisables, ils feront chanter et exploiteront à outrance les démunis.

En attendant la fin de ce fléau, Jean Drapeau, idéaliste, s'enflamme pour autre chose. Il comprend rapidement l'importance de ce qui se passe à la nouvelle Université de Montréal qui a cessé d'être une succursale de l'Université Laval. Il entend parler du frère Marie-Victorin et du jardin qui sera aménagé près de chez lui. Ce projet et bien d'autres investissements publics, comme la construction du Chalet du Mont-Royal, naîtront au moment de la grande crise, dans le but de faire face à la situation économique.

Et puis les professeurs Lionel Groulx et Édouard Montpetit acquièrent une grande notoriété. Et que dire de cette croix sur le mont Royal, qui a été érigée par la société Saint-Jean-Baptiste (1924) et qui fait la fierté des Canadiens français catholiques.

Les anglophones, dont plusieurs sont bien installés dans leur Golden Square Mile, trônent sur la finance, les chemins de fer, le bois, la fourrure, les brasseries et le tabac. À bien des égards, ils sont imbattables. Mais qu'à cela ne tienne, les bourgades francophones comme Rosemont n'ont pas dit leur dernier mot. Au vu et au su des quelques Italiens des rues Berri et Saint-Denis, des Juifs de la rue Saint-Laurent et des Irlandais de Griffintown et de Pointe Saint-Charles qui ensemble forment environ 10 % de la population de Montréal, la majorité francophone s'exprime par les professions libérales, le savoir et la politique. Ça, c'est tout Jean Drapeau en devenir.

Au moment du choix d'une école secondaire pour lui, sa famille n'est pas assez riche pour qu'on l'envoie sur la Côte-Sainte-Catherine chez les jésuites du collège Brébeuf ou dans quelque autre collège classique, institutions réservées à l'élite francophone.

Il demeurera étudiant à l'école publique Le Plateau, dirigée par des laïques (*l'une des premières au Québec à ne pas être menée par des religieux*), là où on prépare principalement les garçons à des carrières d'ingénieur ou de comptable.

Drapeau doit changer de tramway trois fois pour se rendre à cette école située en plein cœur du parc Lafontaine. Peu importe, il a repéré l'auditorium, lieu de prédilection des francophones lors d'assemblées politiques et de débats oratoires. Il a tôt fait de s'inscrire au club oratoire de l'institution. C'est entendu : il va monter sur cette scène.

Mais à l'été de 1933, il tombe malade et doit être placé en maison de repos dans les Laurentides. On craint la tuberculose et il doit absolument se reposer. Il reviendra du sanatorium en octobre et passera le reste de l'année scolaire à la maison.

De retour aux études, il devient adepte des joutes oratoires. Il est bien sûr président de sa classe, autre occasion de s'exercer devant public. Drapeau est bon étudiant, mais il est plus souvent intéressé à préparer ses discours qu'à performer académiquement.

Lionel Groulx

C'est au cours de ces années que les premières idées politiques de Jean Drapeau se forment. Au-delà des campagnes électorales conservatrices auxquelles il participe auprès de son père, il est fortement influencé par la pensée du chanoine Lionel Groulx dont il dévore les ouvrages et savoure les allocutions.

Le prêtre historien aujourd'hui controversé est titulaire de la première chaire d'histoire de l'Université de Montréal. Il est essayiste, tribun et publie même des romans, dont *L'appel de la race*, en 1922. Il dirige aussi la revue mensuelle *L'Action française,* dans laquelle il se soucie de la survivance du catholicisme et de la langue.

Certains des écrits de l'abbé Groulx peuvent de nos jours donner des frissons dans le dos par leur radicalisme nationaliste, proche du fascisme. Mais à l'époque, Groulx contribue à offrir une voix aux francophones. Certains exégètes de l'intellectuel lui attribuent même le concept de souveraineté-association. Toujours est-il que, dans le Québec des années 1920 et 1930, il permet à plusieurs de s'affirmer. Jean Drapeau lui, développera, à partir des enseignements de l'abbé Groulx, une détermination sans faille et sans borne à faire valoir la ténacité, la grandeur et le talent des Canadiens français.

C'est dans cette mouvance qu'à 18 ans il fonde avec d'autres jeunes du quartier Rosemont une section de l'Association canadienne de jeunesse catholique (ACJC). Devenu un admirateur inconditionnel du chanoine, il se rendra un jour chez lui à Outremont pour lui demander de prononcer l'allocution de fondation du nouvel organisme. Groulx acceptera et ce sera le début d'une longue relation.

À la fin de ses études secondaires, après avoir songé à la prêtrise et aux affaires – deux choix potentiels de carrière probablement attribuables au désir de faire plaisir à son paternel –, le jeune homme qu'est devenu Jean Drapeau comprend que rien ne pourrait mieux l'outiller que le droit en vue d'un avenir qu'il conçoit d'envergure. Mais voilà, Le Plateau ne l'a pas préparé à une telle formation. L'étude de la philosophie, du grec et du latin est une condition essentielle à l'admission à l'école de droit. Peu s'en faut, il se préparera seul à la maison. Et comme si ce n'était pas assez, il s'inscrit aux études de soir, à la licence en sciences sociales, économiques et politiques, diplôme assez rare pour l'époque, qu'il obtiendra en 1937, suivi d'un bac ès arts l'année suivante.

Encore la maladie

Entre les études personnelles, celles de soir à l'université, les devoirs et leçons qu'il fait faire à sa sœur cadette ainsi que l'aide aux tâches ménagères et familiales qu'il fournit lorsque son aînée épileptique est en crise, Drapeau, convaincu qu'un avenir singulier s'offre à lui, avance à pas résolus vers son destin.

Mais un jour, le plus grand défi auquel il a eu à faire face jusque-là dans sa vie se présente, dramatique. Sa mère revient de l'hôpital, terrassée. Elle qui cherchait simplement à corriger son problème de poids se sait atteinte d'un cancer du sein. Toute musique cesse dans la maison.

Il reviendra à Jean de soulager la plupart du temps les souffrances de sa mère condamnée. Son père est absorbé par ses affaires et ne rentre à la maison que pour lui permettre de se rendre à l'université. Or, Jean Drapeau ira jusqu'à abandonner momentanément ses études préparatoires de droit pour s'occuper de sa mère chérie.

J.-N. Drapeau résiste mal à cette épreuve. Il laissera tout le monde pantois lorsqu'en plein cœur de la maladie de sa femme il décidera tout de même de se présenter aux élections municipales. Une infirmière viendra aider Jean et Thérèse qui fait quant à elle tout ce qu'elle peut quand elle en est capable.

« Mon père rentrait à la maison, nous souhaitait le bonsoir et allait se coucher dans la chambre voisine. Pendant ses quelques dernières semaines, j'ai veillé ma mère toutes les nuits en étudiant à côté de son lit au cas où elle se réveillerait et aurait besoin de quelque chose. J'étais seul avec elle[7]. »

C'est ainsi qu'un jeune adulte de 20 ans apprit de la vie plus qu'aucun livre ne lui enseigna jamais. Berthe Drapeau mourut dans sa maison de Rosemont le 4 janvier 1937 à 46 ans. Jean Drapeau affirme que ce fut l'événement capital de sa vie.

Eut-il une jeunesse normale? Fut-il amené à certains excès, notamment au chapitre de son acharnement au travail ou de « ses idées de grandeur », par l'influence de ses parents autant que par son destin marqué par la maladie?

Même en bas âge, bien avant que l'héritage psychosocial familial laisse, comme chez tout être humain, ses traces indélébiles, il manifesta un désir hors du commun de s'affirmer et de se distinguer. Mais il est clair que ce goût du beau et du grand qu'il développera toute sa vie ainsi que cette discipline de fer et cette droiture excessive qui le caractériseront auront été hérités de ses parents. Comme son goût pour l'opéra et la politique. Pour le reste, fut-il ce qu'on appelle aujourd'hui un résilient, soit quelqu'un qui tire de l'épreuve un comportement exemplaire ou admirable? Rien ne l'indique clairement selon le psychologue Raymond David, puisque, tout au long de sa vie, M. Drapeau adoptera des comportements empreints de déséquilibre, laissant entrevoir que les stigmates de sa jeunesse ne se sont jamais tout à fait cicatrisés.

CHAPITRE 2

LE TRIBUN

1938. Depuis un quart de siècle, tous les maires de Montréal ont été francophones (*et il en a été ainsi jusqu'à aujourd'hui*). Nous sommes à la grande époque de Camilien Houde qui a remplacé Médéric Martin. Certes, il s'est fait battre par Fernand Rinfret (1932) et Adhémar Raynault (1936), mais il est de nouveau maire de Montréal.

C'est à ce moment que Jean Drapeau entre à la faculté de droit de l'Université de Montréal. Pour ce faire, il lui aura fallu des heures et des heures d'étude du grec et du latin, aidé en cela par un précepteur. La mort de sa mère l'a fouetté. Il se lance à corps perdu dans les études, développe des techniques de prise de notes qui le suivront toute sa vie, étudie plus qu'il ne faut l'histoire, les lettres, la philosophie, etc.

On ne lui connaît pas de frasques, d'amourettes, d'expériences «anormales» propres à son âge. Il est parfaitement à son affaire. Trop. Comme s'il avait reçu un appel mystique ou divin. Comme le violoniste au conservatoire, il vit un peu en marge. Mais en même temps sa passion est publique, extérieure. Il doit vivre dans le monde; son choix de vie, tellement précoce, l'y oblige. Il en gardera des séquelles qu'il reconnaîtra lui-même beaucoup plus tard. En 1992, accordant une rare entrevue personnelle à Anne Richer, journaliste à *La Presse*, il reviendra sur sa jeunesse. Se remémorant cette exagération au travail et les différentes causes qu'il défendait, il dit : « Aujourd'hui parfois, je plains le petit gars que j'étais, le jeune homme que j'ai été. »

Les frais entourant la maladie et le décès de Mme Drapeau ayant déséquilibré les finances familiales, il doit travailler pour payer ses études. La jeunesse déjà très réglée de Jean s'estompe définitivement.

Grâce aux contacts politiques de son père, il déniche un emploi de fonctionnaire à l'assistance publique. Il est chargé d'enquêtes pour le compte du service des assistés sociaux du ministère du Travail, question de vérifier si l'assistance publique à laquelle ont droit certaines familles est justifiée et utilisée à bon escient.

C'est un travail ingrat assorti de pouvoirs excessifs. Si les gens qu'il visite refusent de lui fournir de l'information sur leurs revenus, il peut demander à leurs employeurs ou à leur entourage de le faire. En effet, son travail consiste à lever des lièvres et à débusquer des fraudeurs. Il accomplit ce travail de façon si satisfaisante qu'on lui confie des cas plus difficiles.

Le jeune homme de 22 ans, élevé dans un confort relatif sur la 5e Avenue à Rosemont, côtoie la déchéance et l'indigence pour la première fois. « J'en ai tiré une grande leçon sur la pauvreté et la misère, une leçon sur la vie. En tant que témoin d'une telle misère, j'acquis la conviction que je devrais faire quelque chose un jour pour que les gens puissent rester au travail[8]. »

Selon les biographes Purcell et McKenna[9], Jean Drapeau affirme que ce désir de créer des emplois et de lutter contre le chômage et la pauvreté est l'un des principaux moteurs de sa passion irrésistible pour les grands projets.

Cette même année, en plus de son travail, Drapeau termine son bac, réussit ses examens de grec et de latin, et est accepté à la faculté de droit. Il est infatigable, une véritable queue de veau. Quand il le peut, il fréquente la Maison des étudiants. C'est là qu'il apprend à vivre avec les railleries de certains de ses confrères qui lui font comprendre qu'il n'est pas de leur rang, car il ne vient pas du « classique ». Et puis Drapeau est déjà un peu chauve, porte d'énormes lunettes, ses costumes ne sont pas toujours bien coupés, sans oublier son caractère bouillant !

L'étudiant n'en a cure. Il s'implique au *Quartier latin*, le journal étudiant de l'université. Et surprise ! Il se fait remarquer lors de débats auxquels il participe.

Il ne dort que quelques heures par jour, et ce sera comme ça pendant les 50 prochaines années. À cette époque, traversant la rue avec un confrère d'université, il voit passer une limousine : « Un jour, moi aussi, j'aurai ma Cadillac et mon chauffeur[10]. »

La faculté de droit de l'Université de Montréal est alors une véritable pépinière de politiciens. Drapeau y côtoiera entre autres trois futurs premiers ministres, Daniel Johnson, Pierre Elliott Trudeau et Jean-Jacques Bertrand, avec lequel il forme équipe au sein de la Société des débats de l'université. Il en sera le président et, trois années de suite, il remportera avec Bertrand les grands honneurs des compétitions opposant l'Université de Montréal à l'Université Laval et à celle d'Ottawa.

C'est au sein de la Société des débats que le caractère autoritaire de Jean Drapeau commence à se manifester officiellement. J.-J. Élie, qui fut secrétaire de ladite société, se souvient : « Comme président, il n'hésitait pas à utiliser son autorité pour nous faire taire. Il supportait très mal la critique et il lui arrivait de prendre des décisions sans consulter personne[11]. »

La vie d'orateur sied tellement à Drapeau que cela en fait un étudiant moyen. Il préfère de loin développer sa Société. À tel point qu'il désire l'autofinancer. Convaincu que les débats qu'il organise peuvent attirer des spectateurs payants, il va jusqu'à louer l'auditorium du Plateau, qui contient 1200 places, et annonce une grande soirée de débats intitulée : « Ève était-elle coupable ? » Toutes les places seront vendues à 35 cents chacune.

Certains s'opposent à la frivolité des sujets proposés par Drapeau pour attirer du monde aux concours qu'il gagne la plupart du temps grâce à une préparation supérieure à la moyenne. Mais Pierre Elliott Trudeau se portera à sa défense dans le *Quartier latin* : « Pour des intellectuels raffinés et des chrétiens invincibles, il me semble naturel et même louable de se détendre l'esprit (et celui de leurs petites amies) en des soirées où l'on pratique la curieuse coutume de ne rien dire sur pas grand-chose, mais avec beaucoup d'esprit et une mesure étonnante de bon goût[12]. » N'est-ce pas là du Trudeau tout craché ? Les deux hommes croiseront souvent le fer et auront à collaborer à maintes reprises dans des circonstances souvent dramatiques au cours des décennies qui suivront.

Houde et la guerre

Pendant que le futur avocat Drapeau va de succès populaire en succès d'estime et avance dans ses études de droit, Camilien Houde, lui, vit des heures difficiles à la tête de la Ville. Sa grande popularité, sa réputation de défenseur des petits, grâce entre autres au « secours direct » qu'il a réussi à prodiguer durant la crise, non sans se faire accuser de favoritisme, ne suffisent plus à calmer les milieux financiers et gouvernementaux qui considèrent que la gestion de la Ville est en perdition.

L'année 1940 marque la mise en place d'un nouveau régime démocratique qui n'aide en rien la situation du politicien Houde. Camilien, comme on aime l'appeler, est un homme aux origines modestes qui fut commis de banque. Il est du Parti conservateur, député de Sainte-Marie à l'Assemblée législative du Québec et chef du parti de 1929 à 1932, en même temps que maire. (*Il sera aussi élu à la Chambre des communes d'Ottawa comme indépendant en 1949*). Il sera élu 7 fois maire de Montréal et dirigera la Ville pendant près de 18 ans. Ce record électoral sera battu par qui vous savez.

Dorénavant, le Conseil municipal sera formé de 99 conseillers de 3 classes disposant chacune du tiers des sièges. Dans ce régime bizarre qui durera 20 ans avant que Jean Drapeau s'emploie à le modifier, les conseillers de classe A sont élus par les seuls propriétaires d'immeubles. Les conseillers de classe B sont élus par les propriétaires et les locataires ensemble, et ceux de la classe C sont nommés par des organismes patronaux, syndicaux et universitaires.

Cette réforme enlève du pouvoir aux populistes comme Houde et accroît beaucoup celui des différents lobbys. Cette situation fera en sorte que le véritable patron de la Ville deviendra le président du Comité exécutif, en l'occurrence J.O. Asselin.

En ce début de décennie, la ville peine pour se sortir de la grande dépression. Il y a bien l'aéroport de Dorval qui entre en fonction et Canadair qui installe une avionnerie à Saint-Laurent, mais si ce n'était du deuxième conflit mondial et de l'effort de guerre qui favorisent les chantiers navals et ferroviaires ainsi que la création d'usines de munitions, les choses seraient au plus mal. D'ailleurs, la Ville est incapable de rembourser les nombreux emprunts qu'elle a dû faire pour affronter la crise économique qui a sévi. Les banques refusent donc d'avancer de nouveaux fonds. Québec n'a d'autre choix que de mettre la Ville sous l'autorité de la Commission municipale. C'est la tutelle qui demeurera jusqu'en 1944.

Si la guerre, cyniquement, sauve Montréal sur le plan économique et l'empêche de sombrer, elle a des répercussions inattendues lorsque vient la conscription, toujours en 1940.

La volonté du gouvernement fédéral, mené par les libéraux de Mackenzie King, d'enrôler contre leur gré les Canadiens, et par incidence les Montréalais, soulève les passions au Québec comme lors de la guerre de 1914-1918. De longs chapitres pourraient être consacrés à cet épisode de notre histoire, sur lequel ont planché tant de spécialistes de la question et qui a entre autres causé la seule défaite de la carrière de Maurice Duplessis après qu'il eut pris la tête de l'Union nationale. Nous n'en retiendrons que ce qui concerne Jean Drapeau et, avant lui, Camilien Houde.

Le 2 août, le maire Houde déclare aux médias son opposition formelle à l'enrôlement. Il n'a peur de rien quand il affirme qu'il s'agit d'une mesure équivoque, mesure de conscription prise par un gouvernement qui s'est fait élire au mois de mars en disant le contraire. Il en rajoute quand il clame qu'il ne se conformera pas à la loi et propose à la population, qu'il sait derrière lui en majorité, de l'imiter. Rappelons que Houde est un « bleu » populiste.

Le lendemain, le journal *The Gazette*, qui appuie la conscription et a le soutien des grandes banques de Montréal qui s'opposent systématiquement à Houde, titre à la une en grosses lettres : *Houde dénonce l'enregistrement national* et en sous-titre : *Houde révèle ses vraies couleurs*. L'article peut être traduit comme suit : « Depuis treize ans, cet homme, Houde, est un brandon de discorde dans la ville et dans la province [...], sa clique s'est engraissée à l'auge municipale tandis que son administration entraînait la plus grande ville du Canada dans la banqueroute [...]. Il faut l'arrêter [...]. La loi est là. Que les autorités fédérales l'exécutent[13]. »

La déclaration de Camilien Houde fait un tour de presse quasi mondial. On en parle aux États-Unis, à Londres et, bien sûr, partout au Canada. Le 5 août, coup de force : la police fédérale l'arrête à sa sortie de l'hôtel de ville. La description du très stylisé historien Robert Rumilly quant à ce qui se produisit après qu'on l'eut interrogé pour la forme mérite d'être citée :

« Camilien Houde est dirigé séance tenante sur (sic) le camp de Petawawa en Ontario. On le jette dans une cellule. Puis on lui passe une blouse de bagnard avec un grand cercle rouge dans le dos, la cible pour les gardiens en cas d'évasion, et des pantalons (sic) que traverse une large bande rouge sur la jambe droite[14]. »

Houde devient un héros national au Québec. Le journal *Le Devoir* se porte à sa défense et se déclare ouvertement anticonscriptioniste. Les camps se mettent en place une nouvelle fois : « On va les avoir, les Anglais ! »

Monsieur le maire restera emprisonné pendant quatre ans. Les épisodes mettant en vedette sa femme, portant sur les tentatives de ralliements publics pour le faire libérer, sont nombreux. Mais ils seront vains. Cela dit, sa détention sera décriée et on en parlera régulièrement. Elle servira de symbole aux nationalistes québécois qui ne laisseront pas passer cette nouvelle occasion d'affirmer leur différence par rapport à Ottawa.

Drapeau et la guerre

Au même moment, Jean Drapeau se positionne face au conflit mondial qui se développe. Il subit les influences de Henri Bourassa, de l'abbé Groulx et de Charles Maurras, un philosophe français fasciste et monarchiste dont il dévore les ouvrages. Durant cette curieuse période de l'histoire du Québec, il n'est pas rare d'entendre des nationalistes s'émerveiller devant l'œuvre de Mussolini, de Salazar ou de Franco, ou même de les voir s'intéresser aux propos d'un Henri Bourassa vantant le travail de Hitler. L'idée d'une race supérieure qu'il faut absolument installer aux commandes est certainement séduisante au cœur des Canadiens français, peuple conquis qui doit se redresser.

Partant de là, le Québec des années 1940 n'a rien à faire des plus faibles et est donc souvent antisémite, opinion également répandue au Canada et dans le monde. Les Juifs ne peuvent rien apporter de bon à la croisade des Canadiens français. D'ailleurs, le Parti nazi québécois d'Adrien Arcand atteint pendant un certain temps une sérieuse dose de popularité.

C'est dans ce contexte que Jean Drapeau propose au *Quartier latin*, le journal étudiant, d'écrire une série d'articles démontrant comment le Canada s'est acheminé vers la conscription au moment de la Première Guerre mondiale et comment le Québec en a pâti. Pour illustrer son propos, il remontera à la bataille des Plaines d'Abraham pour expliquer que jamais les Canadiens français ne voudront se battre aux côtés des Anglais. (*À ce moment, les États-Unis ne sont pas entrés en guerre, et si de nombreux Canadiens français sont déjà à se battre en Europe, c'est selon certaines théories, parce que la France a été envahie.*)

Drapeau veut démontrer que la guerre qui commence n'est pas celle des Canadiens français. Il va même jusqu'à laisser entrevoir que les dictateurs auxquels le Royaume-Uni et bientôt tous les alliés s'opposent n'ont peut-être pas entièrement tort d'agir ainsi.

À sa décharge, il faut insister sur le fait que ce courant de pensée est adopté avec nuances par une majorité de l'élite francophone, du *Devoir* jusqu'à Maurice Duplessis, en passant bien sûr par Lionel Groulx.

Toute sa vie, Jean Drapeau sera attiré par la droite radicale. Selon J.-Z.-Léon Patenaude, qui le côtoiera durant les années 1940 et qui sera son allié politique puis son détracteur, Drapeau croyait que les Canadiens français étaient royalistes et qu'ils souhaitaient donc être dirigés par des rois. Il se voyait comme l'un d'eux en puissance, mais s'empressait toujours d'ajouter qu'il fallait que lesdits rois soient élus !

En octobre 1940, Jean Drapeau écrit ces lignes inquiétantes à propos de l'immigration juive dans le *Quartier latin* :

« Que nous a valu d'ouvrir toutes grandes nos portes aux réfugiés de la Révolution russe ? Comment ces autres " pauvres malheureux " qui avaient dû fuir devant les feux de la révolution nous ont-ils manifesté leur reconnaissance ? Pas autrement qu'en transformant la grande artère commerciale de notre ville en une dégoûtante foire où quelque viande puante voisine avec de sales croûtons et où les trottoirs servent trop souvent de poubelles aux fruits et légumes en état de décomposition ; en dotant encore la métropole de quartiers repoussants, où nous ne pouvons circuler sans éprouver de violents haut-le-cœur [...] enfin, en ruinant le commerce canadien par une concurrence déloyale, à base

de tactiques peu morales, lorsqu'elles ne sont pas franche-
ment malhonnêtes[15]. »

Jamais, durant toutes ses années de pouvoir, Drapeau
ne se risquera à concrétiser un tel radicalisme intellectuel ou politique. Mais il est clair que c'est durant sa
période universitaire et la période de guerre qu'il acquiert
tout ce qui fera de lui un homme de droite. D'autres
comme Daniel Johnson et Pierre Elliott Trudeau, qui se
frotteront aux mêmes idées au même moment et qui
s'opposeront à la conscription, s'éloigneront beaucoup
plus de ces idéologies. Trudeau, lui, ira jusqu'à devenir
un homme considéré comme de gauche.

Avez-vous dit conscrits ?

« Consentez-vous à libérer le gouvernement de toute obligation résultant d'engagements antérieurs restreignant
les méthodes de mobilisation pour le service militaire ? »

Voilà la question que les libéraux de Mackenzie King
posent à l'ensemble des Canadiens en ce début de 1942.
Un plébiscite aura lieu le 27 avril partout au Canada
pour en décider, mais on sait que c'est au Québec que
ça se jouera. Ailleurs au pays, King n'a pas à se justifier
par ce moyen politique.

C'est l'occasion que Jean Drapeau attendait pour
entamer la carrière politique qu'il pressentait depuis
longtemps. Faisant déjà partie de la garde montante
nationaliste, le jeune avocat est maintenant stagiaire
dans un cabinet. (*Au cours des années suivantes, Drapeau
travaillera comme vendeur itinérant pour la société de
généalogie Drouin. Cela fera de lui un adepte de la vitesse
automobile.*) Il fraye à Outremont avec les meilleurs
acteurs politiques de l'époque, dont le journaliste et
activiste André Laurendeau.

Un soir à la maison de ce dernier, décision est prise de former un mouvement pour offrir un Non au plébiscite fédéral. Ce sera la Ligue pour la défense du Canada, dont Jean Drapeau deviendra secrétaire adjoint et qui dès lors organise un premier rassemblement au marché Saint-Jacques. Évidemment, l'organisateur contribue au succès de l'événement et y prononcera un discours. Il agira entre autres à titre de maître de cérémonie.

Premier à prendre la parole devant des milliers de personnes qui débordent dans la rue Amherst, Drapeau, qui parle au nom de la jeunesse canadienne-française, se sert du nom de ce gouverneur britannique devenu un nom de rue pour haranguer la foule, la réchauffer pour ainsi dire. Dans un style qui deviendra célèbre et qu'il maîtrise déjà, il est à la limite de l'exagération.

« Depuis 1760, des étrangers de tout acabit ne cessent de passer en notre pays, de s'arroger le droit de discuter nos problèmes, de prendre le haut du pavé, de parler sans mandat au nom des Canadiens qu'ils ne connaissent pas [...], d'imposer, toujours très librement, les solutions les plus anticanadiennes que leur imagination de métèque peut trouver[16]. »

Grandiloquent et enflammé, il termine en disant : « Pas de remise de promesse ! Pas de conscription ! » La foule réagit bruyamment.

Gérard Filion, Maxime Raymond, le Dr Prince lui succéderont sur l'estrade, s'inspirant pour la plupart d'un manifeste rédigé par Lionel Groulx. Puis arrive le clou de la soirée : Henri Bourassa. Voyant la foule chauffée à blanc, inquiet, il tente de calmer le jeu. « Quels que soient les résultats du plébiscite, si la guerre dure deux ans, vous aurez la conscription. » Voyant que la foule ne décolère pas, il prend soin d'écarter la question de la race en s'adressant directement à Jean Drapeau qui en a trop mis à ce sujet. « Nous avons grandement tort de penser que le Canadien français est le seul vrai Canadien, comme l'a dit un jeune orateur[17]. » Jean Drapeau vient de subir sa première leçon politique en public, et l'une des rares à vie.

Bourassa poursuit : « Votez non d'une main ferme. Faites une bonne croix. Mais soyez calmes. Ne criez pas dans les salles ni dans la rue. Préparez un mouvement digne et raisonné[18]. »

L'assemblée se termine et des centaines de personnes venues de toute la région se dirigent vers *The Gazette*, le *Star* et le *Canada*, propriété du Parti libéral. Certains autres prennent la direction de la rue Saint-Laurent en chantant *Ô Canada*. Ils s'en vont fracasser les vitrines de boutiques juives. Il y aura échange de coups et plus d'une dizaine d'arrestations.

Le 27 avril 1942, 72 % des Québécois se prononcent contre la conscription alors que le reste du pays se prononce massivement en faveur. Les libéraux fédéraux viennent de diviser le pays et Jean Drapeau, de connaître sa première victoire politique.

Chers électeurs

Dans un Montréal aux prises avec une crise majeure de la construction et du logement causée par la dépression des années 1930 et par la guerre qui limite l'accès aux matériaux si ce n'est à des fins militaires, Jean Drapeau s'enthousiasme pour la nation canadienne-française. Il y met toute son ardeur, est de tous les événements, de toutes les réunions. Il rédige lui-même une lettre à l'intention du ministre de la Justice, Louis Saint-Laurent, demandant la libération de Camilien Houde.

Il faut dire que la cause sert bien ses ambitions personnelles très élevées. À ce moment, rien ne laisse entrevoir une quelconque préoccupation du jeune homme pour les affaires municipales. Son combat est national.

À la fin de l'été 1942, la Ligue pour la défense du Canada, qui se porte très bien, en remet et décide de créer un véritable parti politique qui défendra les positions des Canadiens français. Le Bloc populaire est né et entend présenter des candidats aussitôt que des élections seront déclenchées. Jamais les Canadiens français ne se seront rendus aussi loin politiquement. Au Canada anglais, on qualifie les partisans du Bloc de séparatistes, de révoltés.

L'occasion de croiser le fer pour le Bloc se présente plus tôt que prévu. Les libéraux fédéraux qui se sont coupés du Québec ont l'idée de faire élire un candidat-vedette dans un comté sûr, question de prouver à ces sacrés nationalistes qu'ils n'occupent pas tout le terrain. On demande donc au député d'Outremont de se désister (on lui offre un siège au Sénat) au profit du général Léo LaFlèche, héros de guerre qu'on a déjà pris soin d'installer au Conseil des ministres. Une élection partielle est annoncée dans le comté qui est considéré comme le meilleur du Québec pour les libéraux.

Le général LaFlèche « casse » le français. Voici ce qu'en dit l'historien Robert Rumilly : « Le général commence ses discours en français en s'excusant du défaut de prononciation dû à la blessure " que les Boches lui ont fait (sic) pendant la Première Guerre " et les continue en anglais sans que la blessure paraisse le gêner[19]. » Le journal *La Presse* appuie la candidature du général. Tout devrait aller « comme du beurre dans la poêle ». Ils n'ont pas tout à fait tort. Le comté est composé d'une majorité d'électeurs juifs, irlandais et anglais. C'est une forteresse rouge, à tel point que les conservateurs considèrent l'affaire comme résolue et ne présentent pas de candidat. Au nouveau Bloc, on cherche désespérément quelqu'un d'envergure pour éviter l'humiliation.

Jean Drapeau, lui, veut y aller. Il n'attend pas qu'on le lui demande. Doté de la fougue de ses 26 ans, il s'en va quérir la bénédiction de Lionel Groulx, qui la lui donne. Il fait connaître ses intentions au journal *Le Devoir* qui l'appuie. Mais voilà, le Bloc ne croit pas à ses chances, ne veut pas s'affaiblir d'entrée de jeu et décide donc de passer outre. Qu'à cela ne tienne, Drapeau sera candidat indépendant tout en défendant le programme du parti.

Enfin, il pourra discourir dans le but d'obtenir des votes, dont celui de son père qui accepte difficilement que son fils ne soit pas devenu un conservateur comme lui mais qui néanmoins l'appuie.

Sa candidature, qui ne sera rendue publique que deux semaines avant l'élection, fait jaser. Plusieurs disent qu'il s'agit d'un savant calcul pour le jeune ambitieux qui a déjà, selon eux, mesuré l'impact positif de sa défaite.

D'autres comme Simonne Monet-Chartrand, qui travaillera pour Drapeau à l'élection en compagnie de son mari Michel, sont un peu plus inquiets de cette candidature. « Drapeau était un autoritariste de droite entouré d'une coalition de nationalistes. Il utilisait l'élection comme un tremplin politique. Il disait tout à fait ouvertement qu'il était " destiné " au pouvoir[20]. »

Le soir du 30 novembre 1942, Drapeau sera évidemment battu, mais honorablement (12 000 voix pour LaFlèche contre 7000 pour Drapeau). Il n'aura fait campagne qu'auprès des francophones du comté. Cela dit, cette élection aura été l'occasion de tisser des liens solides avec des organisateurs politiques comme J.-H. Brien qui lui sera utile fort longtemps.

Et puis Drapeau aura réussi à se faire remarquer à la fois comme tribun et comme compétiteur électoral.

Certains soirs, ses attaques sont tellement violentes qu'on pense qu'il sera emprisonné : « Soutenir LaFlèche, c'est appuyer les financiers de Toronto qui réclament à grands cris que toujours plus de sang soit versé au nom de l'Union Jack. Québec ne peut plus accorder aucune confiance à un gouvernement qui a perdu à tout jamais le titre par lequel il pouvait y prétendre[21]. » Voilà un exemple de déclaration qui a l'heur de casser la baraque chez les Canadiens français et de soulever du même coup les adversaires.

Durant la campagne très dure, Marc Carrière, l'organisateur en chef de Drapeau, sera arrêté parce que, comme l'a révélé *The Gazette*, il s'est vanté de ne pas aller à la guerre. Ce faisant, il deviendra une victime utile et une preuve de l'inhumanité des conscriptionnistes. Michel Chartrand, le célèbre syndicaliste en devenir, prendra sa place à titre d'organisateur.

Dès cette première campagne, le candidat Drapeau commencera à utiliser les médias « à sa façon » en ne faisant aucunement confiance à la presse écrite et en parlant à la radio de façon contrôlée. Se servant de toutes les possibilités qui s'offrent à lui, il demandera à Henri Bourassa de le rejoindre sur l'estrade lors d'une ultime assemblée la veille de l'élection. Bourassa lui serrera la main devant tout le monde, faisant en sorte de lui ouvrir la porte de la légitimité.

Mais s'il est un fait particulier relatif à cette campagne, c'est bien l'entrée dans la danse d'un certain Pierre Elliott Trudeau qui vint appuyer son confrère de classe.

Comme il est d'usage à l'époque, un soir de discours du candidat libéral LaFlèche, on envoie des partisans du Bloc manifester et nuire à la bonne tenue de la réunion. Trudeau fait partie de ceux-là. Mais il est si agressif qu'il est expulsé par des boxeurs recrutés par l'organisation libérale.

À partir de ce moment, le dandy Trudeau, insulté, en remettra et offrira ses services comme orateur. Il lancera à la fin d'une de ses allocutions : « Vive le drapeau de la liberté ! Finie la flèche du conquérant[22] ! »

Si on apprécie l'implication du jeune Trudeau, alors âgé de 23 ans, les organisateurs de Drapeau qui se réunissent régulièrement ont peine à suivre la pensée de cet intellectuel bizarre. Trudeau est contre la conscription, pas nécessairement pour des raisons nationalistes, mais bien parce qu'il s'agit de respect des libertés individuelles. Dans ses allocutions, il dit aux gens de voter contre LaFlèche plutôt que pour Drapeau. « Même si l'adversaire du général est médiocre, du moment que c'est quelqu'un d'honnête, il faudrait voter contre LaFlèche », déclare-t-il lors d'une assemblée. On ne sait pas encore qu'il n'y a rien là de vraiment étonnant venant de cet homme. Malgré cela, Trudeau participera aux affaires du Bloc, du moins jusqu'en 1943[23].

À la rencontre de Duplessis

En 1943, Jean Drapeau est devenu une vedette dans les milieux politiques, et on scrute régulièrement ses allées et venues. Il continue de se faire connaître sur les scènes nationalistes. Directeur général de la Société Saint-Jean-Baptiste, il va de discours en discours, toujours en campagne. Un soir, il s'évanouit sur scène lors d'un rassemblement à Québec. Les journaux en font état dès le lendemain. Coup du destin ! Quelques jours avant, il avait reçu son appel aux armes et avait dû passer, le jour de l'assemblée, un examen médical complet qui l'a grandement affaibli.

Ce petit épisode tragicomique est pris en considération par les gens du service militaire. Redoutant les conséquences d'envoyer par erreur « un malade » connu et ardent nationaliste au front, on le déclare inapte au service militaire.

En 1944, le Bloc populaire décide, après avoir évalué puis rejeté la possibilité de se joindre à l'Union nationale, de présenter des candidats à l'élection provinciale qui s'annonce pour le 8 août. Fait majeur : pour la première fois, les femmes auront droit de vote au Québec.

Drapeau, évidemment, se présente pour le parti, avec cette fois l'intention claire de l'emporter puisqu'il sera candidat dans son comté natal, Jeanne-Mance. Malheureusement, il mordra la poussière une fois de plus, mais ne perdant que par 1570 votes au profit du candidat libéral.

Durant cette campagne, il aura encore œuvré aux côtés de ses alliés. André Laurendeau, qui a pris la direction de l'aile provinciale et s'est fait élire en compagnie de trois autres candidats, ainsi que Lionel Groulx et Henri Bourassa viendront lui prêter main-forte.

Mais il se sera aussi fait des adversaires solides pour les années à venir. Se sachant menacé dans sa quête de victoire par le CCF, parti de gauche et social-démocrate, ancêtre du NPD, qui présente un candidat dans Jeanne-Mance et qui va ainsi diviser le vote, Drapeau multiplie les déclarations antisocialistes et met le CCF dans le même sac que le Parti communiste qu'il associe au diable en personne. La gauche ne lui pardonnera pas ces excès.

Puis de façon obligée plus qu'autrement, il s'oppose à l'Union nationale qui présente aussi un candidat. « Il n'y aura pas d'alliance avec l'Union nationale. Je ne veux pas être lié à qui que ce soit lorsque je serai élu. Je veux avoir la liberté dans mes attitudes nationales et politiques[24]. » Le « cheuf » Duplessis qui prendra le pouvoir jusqu'à sa propre mort s'en souviendra.

Un homme politique est né

Quelques jours après le scrutin, le prisonnier 694 de la prison de Petawawa, Camilien Houde, est libéré. À son arrivée d'Ontario en train à la nouvelle Gare centrale, celui qu'on appellera dorénavant « monsieur Montréal » est accueilli par des milliers de personnes en liesse qui le suivront jusqu'à sa résidence située rue Saint-Hubert, décorée pour l'occasion de drapeaux et de fleurs. Devant la maison, on chante « Il a gagné ses épaulettes, maluron, malurette », et le maire libéré, au charisme indéniable, d'entonner « Bonsoir, mes amis bonsoir... » en faisant participer le public heureux. Dans la foule se trouve Jean Drapeau[25], venu assister à la libération de celui qu'il a défendu devant le ministre de la Justice. En tire-t-il à ce moment une leçon instinctive et imprévue sur l'importance que l'on peut accorder aux politiciens municipaux ?

Une chose est certaine : Jean Drapeau est maintenant politicien. Homme de droite, religieux, conservateur, traditionaliste, nationaliste à tous crins, il sera préoccupé par la sauvegarde de la race et par la formation d'une élite canadienne-française capable de rivaliser avec les meilleurs. Ce sera le principal moteur de son action. Pour ce faire, il vouera sa vie à la chose publique, c'est entendu. Si elle ne vient pas à lui, il ira la trouver.

Chapitre 3

La famille Drapeau

À 28 ans, Jean Drapeau vit encore dans la maison familiale de la 5ᵉ Avenue. Fortement attaché à son quartier qu'il ne quittera jamais, il y fréquente certains rares amis désintéressés, dont Auray Blain avec qui il peut parler… de politique. Marie-Claire Boucher, dont il est amoureux depuis deux ans, fait aussi partie de sa vie. Il l'avait entrevue durant la campagne politique d'Outremont lorsque cette dernière, nièce de J.-H. Brien, conseiller municipal, organisateur et bailleur de fonds, y agissait à titre bénévole. Brien a ceci de particulier dans la vie des Drapeau qu'il a battu son père deux fois aux élections municipales.

D'abord trop occupé à séduire les électeurs, Jean le candidat avait ignoré cette belle fille chargée de diverses tâches logistiques. Jusqu'à ce qu'un jour de septembre 1942 l'avocat Drapeau voie marcher Marie-Claire sur la 5ᵉ Avenue. Il la reluque et demande à Auray Blain, qui est avec lui, s'il ne s'agit pas de la nièce de J.-H. La belle brune n'a que 17 ans. Elle étudie au pensionnat, joue du piano et a de fort jolies manières. Tout ce qui peut plaire au jeune avocat qui pratique maintenant rue Saint-Jacques et dans les bureaux de son père à Rosemont, lorsque ses clients ne peuvent pas se rendre au centre-ville aux heures normales de bureau. Marie-Claire est déjà impressionnée par la jeune vedette. Les parents Boucher, eux, verront un bon parti pour leur fille en la personnalité de profession libérale qu'est Jean Drapeau.

Quelques jours plus tard, les deux jeunes commencent à se fréquenter dans les plus strictes règles de l'époque, du moins pour les gens bien, catholiques de l'est de Montréal. Ils ne se tutoieront que lorsqu'ils auront la bague au doigt.

Drapeau partage donc sa vie entre la politique, le droit pénal, corporatif et commercial, et les fréquentations amoureuses fortement réglées par les habitudes personnelles du jeune professionnel. Il y a déjà plusieurs années que Drapeau travaille jusqu'à tard dans la soirée, dort ensuite cinq heures pour reprendre le boulot vers six heures du matin. Tous les jours, même le dimanche, il porte costume et souliers vernis. Marie-Claire devra s'y faire, et les occasions de briser ce carcan seront extrêmement rares pendant le demi-siècle qui suivra.

En 1945, alors que la guerre tire à sa fin, Montréal profite d'un boom économique et démographique. La ville se peuple à tel point qu'il manque bientôt 45 000 logements. L'avenir est prometteur. Les salaires augmentent, la consommation aussi. La construction commerciale et résidentielle atteindra des niveaux records. Des quartiers entiers et des villes limitrophes se développent. C'est le cas d'Ahuntsic, Bordeaux, Cartierville, Montréal-Nord et Saint-Michel.

Ne s'agit-il pas de la meilleure période pour se marier et fonder une famille ? Marie-Claire Boucher et Jean Drapeau s'unissent donc le 26 juin 1945 à l'église Sainte-Philomène. La liste de participants et d'invités que le jeune marié s'est certainement employé à peaufiner est digne de mention. Sauf tout le respect que l'on doit à madame, elle donne une idée de l'importance que l'on accorde à Drapeau dès 1945. Le chanoine Lionel Groulx lui-même bénira l'union devant André Laurendeau, Jean-Jacques Bertrand et Michel Chartrand, attentifs. Et c'est à Camilien Houde que reviendra l'honneur d'ouvrir la noce ! Dans son discours, il prendra soin d'avertir Mme Drapeau des sacrifices à venir. Il ne saura si bien dire.

L'absence familiale

Bien installés dans l'immeuble familial de la 5e Avenue, les Drapeau auront 3 garçons, Michel, Pierre et François, qui naîtront entre 1947 et 1951. Ces derniers apprendront très vite à ne voir leur père que le dimanche ou, lorsqu'ils seront adultes, à ses bureaux. Mme Drapeau veillera à leur éducation et à les tenir loin de la vie publique. Les fils ne manqueront jamais de rien et vivront dans une aisance tout à fait bourgeoise. Michel deviendra avocat, Pierre, commerçant, et François, journaliste sportif.

Aucun ne touchera à la politique sauf exceptionnellement Michel qui en 1980 sera tenté d'entrer publiquement dans le camp du Non lors de la campagne référendaire. Intention qui indisposera le père, mais qui sera finalement sans conséquence.

La famille Drapeau existera bien sûr pour la galerie. Les soirs de victoire (et il y en aura huit !), les enfants et Mme Drapeau seront la plupart du temps aux côtés du père. Mme Drapeau aura une véritable vie protocolaire et mondaine. Elle s'impliquera bénévolement lors de différentes manifestations et entreprises communautaires. Elle sera toujours à côté de son mari lorsque jugé nécessaire. Ce sera particulièrement le cas en 1967, lors de l'exposition universelle où se succéderont à un rythme infernal les réceptions, tant à l'hôtel de ville qu'au restaurant Hélène de Champlain. (*Ce restaurant est un ancien chalet de sports qui fut cédé avec d'autres bâtiments de l'île Sainte-Hélène à la Ville de Montréal en 1942 par le gouvernement du Québec. Durant son premier mandat, Jean Drapeau le transformera en restaurant qui ouvrira ses portes le 12 juillet 1955. Le maire en fera l'un de ses lieux de prédilection.)*

Mme Drapeau, comme d'autres épouses de politiciens d'envergure à cette époque, apprendra à la dure le métier de femme publique. Ce sera indéniablement le cas lors de l'enquête Caron sur l'absence de moralité publique et le népotisme, alors que la jeune mère et son mari seront menacés par la pègre, ainsi qu'en 1969 lorsqu'une bombe éclatera dans leur maison de l'avenue Des Plaines. Épisodes dramatiques qui seront relatés plus avant.

Mais au-delà du paraître, rien ne transpirera jamais de ce que fut la vie réelle de la famille Drapeau. Bien sûr, Mme Drapeau et ses fils n'échapperont pas à certaines déclarations au fil des 50 ans de vie publique de l'illustre père.

Au moment du décès de Jean Drapeau, Pierre et François expliquèrent leur vie singulière et l'absence « compréhensible » de leur père en raison de la discipline de fer qu'il s'imposait, de l'ampleur de la tâche à laquelle il s'était attaqué et du grand amour que lui vouait la population de Montréal, n'oubliant pas d'affirmer qu'ils n'en avaient pas trop souffert.

« Mes frères et moi, on a vécu en retrait de la politique. Ça a été un choix de mes parents », dira Pierre Drapeau. Se faisant demander s'il s'agissait d'un choix visant à protéger les enfants, il poursuivra en disant : « Je ne crois pas. Mon père nous a toujours laissés libres de faire ce que l'on voulait. On n'a pas choisi la politique, mais on ne serait pas ce qu'on est devenus s'il n'avait pas été présent[26]. »

Le jour des funérailles, Pierre Drapeau, en répondant aux questions de *La Presse*, démontrera la discrétion que s'imposa la famille de la façon suivante :

« Il y a quelqu'un qui repeint ma maison en ce moment. Ce matin, je lui ai dit que mon père était mort. Il m'a offert ses condoléances et m'a ensuite dit qu'il y avait aussi Jean Drapeau qui était mort. J'ai dit : c'est lui, mon père… »

Les familles politiques réagissent différemment aux exigences de la vie publique. D'un côté, il y a celles qui acceptent de jouer le jeu. Par exemple, les familles Trudeau et Johnson eurent des vies publiques. On a qu'à penser à Margaret, Justin et Sacha Trudeau ou aux deux frères Pierre Marc et Daniel Johnson qui, dès leur jeune âge, apprirent les rudiments des campagnes électorales[27]. Et puis il y a les autres, comme les Bourassa ou les Lévesque, qui se sont toujours tenues en dehors de l'arène. Les Drapeau feront partie de celles-là.

Cela dit, une chose peut être observée ; M. Drapeau vivra séparé de sa femme et de ses enfants une bonne partie de sa vie, travaillant sans relâche et dormant souvent à ses bureaux personnels de la rue Sherbrooke, son refuge selon certains, où il aimait se faire à manger à la fin de ses soirées de travail. Grand voyageur, aux habitudes personnelles somme toute assez frugales, Jean Drapeau se déplacera à peu près toujours sans sa femme mais avec ses collaborateurs, profitant de chacune des minutes à sa disposition pour rencontrer un maximum de gens jusqu'au petit matin.

« J'aurais aimé être plus souvent avec mes enfants, mais, dès l'instant où vous acceptez la vie publique, les jeux sont faits, pour le meilleur et pour le pire. J'aurais peut-être été un père trop sévère si j'avais été tout le temps à la maison. Une chose est sûre, ils ont réussi dans la vie. Ils m'adorent et je les adore[28] », dira Jean Drapeau dans un rare commentaire à propos de sa vie de famille.

« Mon père était un homme extrêmement sociable. Ma mère était différente. Nous ne pouvions pas vraiment amener nos amis à la maison, même nous, les enfants. Alors mon père recevait les gens à son bureau de la rue Sherbrooke. C'était sa place[29] », explique Pierre Drapeau, révélant une partie de ce qui devrait être une entente de couple.

Mme Drapeau se révélera assez exigeante en ce qui concerne sa participation à la vie publique. Quelquefois pointilleuse, elle demandera souvent qu'on lui accorde les honneurs dus à son rang. Certains parleront de snobisme, ce qui ne sera jamais le cas de M. Drapeau, affectionnant toujours les gens plus que les obligations mondaines qui, plusieurs le confirmeront, étaient pour lui un véritable travail.

Bien des ragots circuleront autour de la vie plutôt originale de M. Drapeau, même pour un homme de cette époque et de cette profession. On lui inventa des maîtresses (souvent des cantatrices), des travers et autres fantasmes. Deux témoignages viennent contredire ces suppositions.

« M. Drapeau était entièrement dévoué à sa ville », dit Diane Lapenna qui fut auprès des Drapeau pendant près de 10 ans dans les décennies 1970 et 1980, au service du protocole et des relations publiques. « Je suis certaine qu'il aurait tellement détesté se faire prendre dans n'importe quelle situation embêtante qu'il s'en est abstenu toute sa vie », ajoute celle qui alla même de temps en temps jusqu'à accompagner Mme Drapeau lors de ses courses personnelles.

Paul Leduc, qui fut chargé des relations publiques et secrétaire particulier du maire à la fin des années 1960, affirme que bien des gens ont enquêté sur de supposés dérapages de Jean Drapeau. « Certains ont même été jusqu'à vérifier dans les Palais de justice du Québec pour savoir s'il y avait eu des histoires de mœurs quelconques. Personne n'a jamais rien trouvé. »

Évidemment, ce sont deux « serviteurs » de Jean Drapeau. Mais un autre fait est indéniable. C'est aux côtés de sa femme que Jean Drapeau vécut la totalité de ses dernières années.

* * *

Le droit à la vie privée

Dans les recherches menant à la rédaction de ce livre, j'ai bien sûr cherché à rencontrer Mme Drapeau, toujours vivante au moment de publier, ainsi que ses fils. Dès le début de mes rencontres avec des témoins de l'époque et des relations professionnelles de M. Drapeau, on m'indiqua que la famille ne parlerait pas. De fait, dès ma première entrevue avec Lawrence Hannigan, avec qui j'avais pris rendez-vous quelques semaines auparavant, je compris que Mme Drapeau était déjà au courant que j'allais écrire un livre et que le mot était passé à l'effet d'établir un mur de protection.

Par exemple, lorsque je demandai à Yvon Lamarre de le rencontrer, il me dit qu'il devait d'abord en parler à Mme Drapeau. Même si j'insistai, la rencontre n'eut jamais lieu. John Lynch Staunton me réserva le même sort après avoir tenu les mêmes propos.

Finalement, par conscience professionnelle et pour en avoir le cœur net, je laissai un jour une demande officielle dans la boîte aux lettres de Mme Drapeau à Rosemont, sollicitant une entrevue et la rassurant sur mes intentions. Quelques jours plus tard, je reçus pour toute réponse un coup de téléphone de Paul Leduc, l'ancien secrétaire particulier de M. Drapeau, qui m'avait déjà gentiment accordé une entrevue pour ce livre ainsi que fourni le texte de ses mémoires personnels, qu'il a publiés à compte d'auteur. « Monsieur Gignac, comme je vous l'avais dit, Mme Drapeau vous remercie, mais elle ne vous accordera pas d'entrevue et fait dire aussi qu'il en sera de même pour ses fils. » Quarante ans plus tard, l'homme était toujours au service de la famille.

Il est évident que la garde rapprochée de monsieur le maire conserve encore aujourd'hui une réserve de glace lorsque vient le temps de s'approcher du personnage en terrain moins officiel. Est-ce parce que M. Drapeau n'a pas été « un bon père » ?

D'un point de vue paternel, M. Drapeau fut semblable à bien des hommes de sa génération, se défonçant au travail, ultime objet de reconnaissance, et n'accordant pas à sa famille ce que de nos jours on demande à n'importe quel père et à tout politicien qui se respecte. Même le président des États-Unis, Barack Obama, doit démontrer qu'il sait jouer au basketball, faire la bouffe pour sa famille, accorder du temps à ses enfants et que sais-je encore pour prouver qu'il s'agit d'un homme équilibré.

Autres temps, autres mœurs, dirons-nous ? Cette explication n'est pas complète. Le désir de la famille Drapeau de rester en retrait au-delà des raisons invoquées précédemment tient aussi malheureusement à un différend majeur entre certains membres de la famille, survenu au cours des dernières années. Il semble que cette mésentente ne soit pas d'intérêt public, qu'elle est réglée, mais qu'elle a laissé des séquelles profondes au sein de la famille. Maintenant âgée de 84 ans, Mme Drapeau, au-delà de ses réserves de principe, ne tient pas à ce que ces choses personnelles soient révélées au grand public. Elle vit avec son fils Michel. Pierre est toujours commerçant pendant que François a pris sa retraite du journal *Le Droit* en 2008.

Les archives personnelles de M. Drapeau, certainement d'une grande valeur, ont-elles fait partie de ce différend ? Elles ont été léguées à la Ville en décembre 1999, mais sont sous scellé jusqu'en 2019, en vertu d'une demande de nature confidentielle. Les légataires ont dû procéder en ce sens pour que M. Drapeau repose en paix, ainsi que la famille. Malheureux pour l'auteur et pour le public, car ces documents pourraient nous en apprendre un peu plus sur l'histoire de Montréal et sur le grand politicien.

* * *

En 1945, le nouveau couple qui s'installe au deuxième étage de l'immeuble familial de la 5e Avenue à Rosemont n'a aucune idée de ce que sera sa vie publique. Mais famille ou pas, la grande cavalcade du preux chevalier Drapeau commence et elle le mènera autour du monde pour défendre et promouvoir son royaume.

Chapitre 4

Le plaideur sans peur et sans reproche

Après son mariage, Jean Drapeau se consacre avant tout à la pratique du droit criminel qu'il maîtrise avec grand talent selon plusieurs observateurs de l'époque. Il ne manque pas de clients et s'attaque à quelques causes spectaculaires. Il gagne plus souvent qu'il ne perd, mais certaines défaites mènent ses clients à l'échafaud. Ces situations ébranlent le personnage pourtant peu porté à l'expression de ses sentiments.

S'il connaît du succès dans ses affaires, Jean Drapeau avouera néanmoins à plusieurs occasions qu'il n'avait jamais vraiment souhaité pratiquer le droit et qu'il voyait cette formation comme les prémices d'autre chose. Pour lui, la politique et l'action citoyenne n'étaient jamais bien loin.

L'incroyable « Patente »

Même s'il a nié en faire partie, il est probable, avec le recul et les nombreux témoignages recueillis, que Jean Drapeau, étant donné sa pensée et ses ambitions, a été membre de l'Ordre de Jacques-Cartier (OJC), que d'aucuns surnommaient la « Patente » puisqu'il ne fallait pas trop être explicite sur le sujet.

Au milieu des années 1920, des fonctionnaires fédéraux francophones, las d'être rabaissés et spoliés par leurs homologues anglophones, décident de fonder un organisme ouvert exclusivement aux francophones qui veulent œuvrer à la promotion et à la défense de la nation ou (ou de la race, c'est selon) canadienne-française. L'ordre aura des ramifications dans toutes les régions francophones du Canada, mais c'est au Québec qu'il fait sa marque. L'OJC s'apparente à une secte qui se compare à ce que l'on voit aujourd'hui dans les meilleurs films d'aventures basés sur le fanatisme religieux. Mi-occulte, mi-publique, « la Patente » publie différents périodiques, tient des réunions, fomente différents projets et plans, etc. Au faîte de son pouvoir, l'OJC ira jusqu'à donner des ordres aux dirigeants canadiens-français du monde politique, institutionnel et des affaires lorsque ces derniers sont membres de l'organisation.

L'OJC, soutenu par le clergé, fonctionnera à plein entre 1930 et 1960. La plupart des leaders francophones de la société québécoise, évidemment masculins, y seront associés de près ou de loin. Au-delà de son aspect mystique faisant penser aux rosicruciens ou aux templiers, la Patente deviendra un puissant instrument de réseautage, une sorte de Facebook du temps, mais illicite, pour tous ceux qui veulent progresser et faire avancer la société canadienne-française.

La Patente sera souvent attaquée par ses dénigreurs. On l'appellera le « Ku Klux Klan des Canadiens français ». Jean Drapeau, qui se fera accuser d'être l'un des acteurs du mouvement et de se prêter au fascisme par l'activiste politicien communiste Fred Rose, devra aller jusqu'à se défendre en cour de telles accusations. Il gagnera sa cause et Rose devra retirer ses accusations.

La plupart des analystes politiques de cette période s'accordent à dire que l'OJC joua un rôle important dans l'avancement de la carrière de Jean Drapeau, par exemple lors de l'enquête Caron ou d'Expo 67.

Plus encore, voici ce qu'affirment les biographes Purcell et McKenna : « Si le pouvoir de l'Ordre de Jacques-Cartier diminua de façon marquée au cours des années 1960, il fut loin de disparaître du tableau. Les hommes qui prirent la barre du Québec dans les années 1960 et 1970 avaient été façonnés par l'organisation et celle-ci demeura en quelque sorte une amicale du bon vieux temps, un réservoir presque inépuisable de relations où on pouvait puiser quand venait le temps d'accorder des contrats ou des emplois politiques ou autres ; le réseau se révéla particulièrement utile pendant la construction des installations olympiques. La vieille fraternité joua en outre un rôle de taille dans l'organisation de la visite du général de Gaulle en 1967[30]. »

Nouvelle tentative électorale

En 1948, alors que le Bloc bat de l'aile puisque maintenant privé de ce que l'opposition à la guerre lui donnait en carburant, Drapeau semble toujours se trouver sur le chemin de Duplessis, qui draine sans vergogne tout le vote nationaliste, et décide de se porter candidat indépendant dans son comté de Jeanne-Mance à l'élection provinciale qui aura lieu à la fin de juillet. Il regrettera d'en avoir fait l'annonce, car après avoir effectué un sondage (*Drapeau sera l'un des premiers politiciens québécois à se servir sérieusement de cet outil*), il se rendra compte qu'il est sur le point de subir une raclée humiliante. Cinq jours avant le scrutin, il se retire de la course.

Cette nouvelle tentative du politicien Drapeau ne sera pas la plus heureuse. Elle est dictée à la fois par le désir objectif d'offrir une option aux « vrais » nationalistes purs et droits et aussi bien sûr par sa recherche personnelle de popularité et de pouvoir.

À court terme, cette erreur ne lui sera pas trop coûteuse. Mais Duplessis s'en souviendra d'autant plus qu'il verra apparaître de nouveau cette teigne d'avocat au moment de la célèbre grève de l'amiante où Drapeau se portera, avec Michel Chartrand, Pierre Elliott Trudeau et bien d'autres, à la défense des mineurs. Il se fera remarquer par sa ténacité, y compris quand il menacera Duplessis de le poursuivre devant le barreau pour obstruction à la justice.

Pax et le Red Light

Pendant qu'un groupe d'artistes d'avant-garde publie bravement et dans le quasi-anonymat *Le refus global*, pendant que *Ti-Coq* monte sur la scène du Monument-National et pendant que le *cheuf* premier ministre du Québec met en application sa « loi du cadenas » contre la propagande communiste qui permet d'emprisonner ceux qui de près ou de loin adhèrent à cette idéologie, Jean Drapeau se cherche une nouvelle bataille utile. Un certain « Pax » Plante va lui en offrir une qui lui va comme un gant.

L'avocat Pacifique Plante est un homme flamboyant. Il aime les voitures rutilantes, les belles filles qu'il porte à son bras, et il a tendance à scénariser dramatiquement ses allées et venues les plus banales. Greffier de la Cour du recorder (*ancêtre de la Cour municipale*), il est devenu responsable de l'escouade de la moralité de Montréal en 1946 et a été amené par Pierre Desmarais, un imprimeur à succès, membre influent du Conseil municipal, à accepter le poste de directeur adjoint de la police.

Pax entreprend alors de nettoyer la ville, aux prises avec une criminalité hors du commun qui fait sa mauvaise réputation dans toute l'Amérique du Nord. Il va de descente en descente, avertissant les médias de ses déplacements. Il dérange l'ordre établi, entre autres à l'hôtel de ville.

Plusieurs descriptions de ce que furent le Montréal de cette époque et principalement le Red Light ont été rendues accessibles au fil du temps. Ce quadrilatère délimité par les rues Sherbrooke au nord, Dorchester au sud, Saint-Denis à l'est et plus ou moins Bleury à l'ouest donnera naissance à une véritable pègre institutionnelle québécoise. Les Cotroni, entre autres, s'y feront connaître, ainsi qu'un dénommé Lucien Rivard, rare Canadien français à pouvoir se distinguer dans ce milieu[31].

L'historien, écrivain et dramaturge Jean-Claude Germain fait quant à lui une présentation suave du quartier dans son recueil de souvenirs intitulé *Le cœur rouge de la bohème, historiettes de ma première jeunesse* :

« À Montréal il y avait deux villes : celle du cardinal Léger, qui récitait son chapelet quotidiennement à la radio, et celle de Maurice Duplessis.

« Du temps où mon père était chargé de la route du Red Light pour approvisionner la vie de nuit en liqueurs douces, il pouvait entrer dans une maison, rue De Bullion par exemple, à la hauteur de Sainte-Catherine, et se rendre jusqu'à la rue Dorchester en effectuant son travail de vérification des stocks et de prise de commandes sans avoir à ressortir à l'extérieur.

« Tous les édifices communiquaient entre eux, soit par les caves, soit par des trous dans les murs, masqués par des panneaux ou des commodes. La loi précisait que, pour effectuer une descente dans un bordel, une barbotte ou un *blind pig*, le mandat devait porter le numéro civique de l'établissement présumé illégal.

« Dans les circonstances, il suffisait d'un coup de téléphone au bon moment pour que toute la clientèle soit déjà à l'abri au numéro civique d'à côté lorsque la force constabulaire se présentait à la bonne adresse, mais à la mauvaise porte. Les gens n'avaient peut-être pas tout à fait tort de parler de " maisons mal farmées ". Dans les quartiers montréalais, on ne trouvait pas de bars, de lounges, de cabarets ou de clubs mais uniquement des tavernes qui fermaient le soir à 11 heures, quelques épiceries détentrices d'un permis convoité pour vendre de la bière et de rares magasins de la Commission des liqueurs pour les vins, les alcools et les spiritueux. Mais dans l'arrondissement du Red Light on trouvait ce qu'on ne trouvait pas dans les quartiers. Le tout devait fermer à une heure du matin, mais un certain nombre d'établissements qui avaient pignon sur rue ne fermaient jamais…

« […] Tout l'esprit du temps tenait dans les relations qui existaient entre la police municipale et la police provinciale. La première avait la responsabilité du tapage nocturne et la seconde, de la vente illicite d'alcool.

« On ne comptait plus les fois où les policiers de Montréal s'étaient présentés aux petites heures du matin à la porte d'un des bruyants partys de la bohème pour l'inviter à contrôler son exubérance. Souvent au moment même où le livreur d'un " bootlegger " complétait une transaction ou en même temps qu'il effectuait sa livraison. Les policiers et les livreurs clandestins se connaissaient et entretenaient même des relations amicales. La police municipale respectait les juridictions comme elle appliquait la loi, lorsqu'elle l'appliquait à la lettre. La vente illicite d'alcool relevait de la police provinciale :

donc ce n'était pas de ses oignons. Il faut admettre que toutes ces tolérances dans une société intolérante avaient un goût capiteux[32]. »

Jean Drapeau, homme prude et élevé dans la stricte observance religieuse, a du mal avec le Montréal de l'époque. Il supporte difficilement les files d'attente devant les bordels et la réputation que s'est faite Montréal : « Vous savez, dans tous les magazines américains, Montréal était décrit comme *The Sin City*, la ville du péché, avec des photos montrant comment c'était facile de rentrer dans les maisons de jeux, les maisons de prostitution[33] », raconte-t-il.

Il suit avec grand intérêt la croisade de Pax Plante, dérangeante pour l'administration municipale de Camilien Houde. On ne peut trop insister sur la corruption qui existe à l'époque au sein de l'appareil politique et public municipal.

Gerry Snyder, un des grands collaborateurs de Drapeau, est témoin de ce qui se passe à cette époque. « Ça rapportait gros d'être élu dans ces temps-là. Les conseillers pouvaient dépenser jusqu'à 5000 $ pour se faire élire et obtenir un poste qui leur rapportait 900 $ par année. Pourquoi pensez-vous qu'ils se présentaient ? Pour faire de l'argent… beaucoup d'argent[34]. »

Un jour arrive à Plante ce qui devait arriver. À la faveur de l'embauche d'un nouveau chef de police, Albert Langlois, militaire de profession, on le congédie pour insubordination ou, si vous aimez mieux, parce qu'il empêche le système de fonctionner normalement.

Mais ils ne savent pas à qui ils ont affaire. Avec l'aide de l'imprimeur et conseiller Pierre Desmarais, de quelques autres membres du Conseil, avec la complicité du clergé et de Gérard Filion, alors directeur du *Devoir* qui lui ouvre ses pages, Pax, toujours en possession de ses dossiers, publie à la fin de 1949 et au début de 1950 une série d'articles dévastateurs sur la situation qui prévaut à Montréal. Ces articles feront même l'objet d'un recueil[35] qui, à sa lecture près de 60 ans plus tard, fait sourire tout en n'étant pas si loin d'une réalité qu'on découvre encore de temps en temps au Québec.

Voici une interprétation de la situation par l'historien nationaliste et admirateur de Duplessis, Robert Rumilly : « À vrai dire, Plante est un instrument entre les mains du directeur du *Devoir* Gérard Filion, intelligent, brutal et tenace qui voue à Duplessis une haine implacable et prend également en chasse le président du Comité exécutif de Montréal J.O. Asselin qui, jusque-là, n'a pas bronché[36]. »

Avec des titres comme : *La police dans les barbottes, Une bombe éclate ou La pègre a son roi*, Plante fait sensation. Il décrit des personnages rocambolesques, comme les tenancières de bordels Mlle Ida Katz ou Mme Émile Beauchamps (Anna Lebel). Il décrit crûment les tours de passe-passe de tout ce beau monde.

La pression devient énorme sur les élus, la police et même le gouvernement Duplessis, qui participent à « la fête », tous accompagnés par la pègre. À la Ville, on a beau essayer d'apporter certaines améliorations, au bout de quelques mois, on ne peut empêcher la formation d'un Comité de la moralité publique dont la mission sera de tout faire pour que cela cesse.

Trente-cinq associations montréalaises venant du monde des affaires, syndical ou professionnel demandent du changement et obtiennent une enquête publique sur les agissements de la police. Pierre Desmarais, forte personnalité, agit quant à lui comme un chef de l'opposition à l'hôtel de ville et mène la guerre.

Le Comité engage alors Pax Plante comme procureur qui, lui, a besoin d'aide devant l'énormité de la tâche. À qui pense-t-il qui se trouve là, prêt à servir? Malgré les objections de madame qui craint à bon droit pour la sécurité de sa famille et de son mari, l'avocat Drapeau accepte le mandat qui vient s'ajouter au reste de sa pratique.

Jean Drapeau prendra beaucoup de place dans la bataille qui démarre et dont la vedette devrait être Plante. Tout d'abord, il s'échinera sur la requête officielle qui doit être déposée pour que le processus d'enquête publique soit enclenché. Comme au temps de ses études, il abattra un travail incroyable pour déposer un document de plus de 1000 pages devant la Cour! Plante se serait contenté de 100.

En septembre 1950 commence l'enquête sous la présidence du juge François Caron. Elle mettra en cause des milliers de gens, dont des élus et membres du Comité exécutif, y compris le puissant président J.O. Asselin. De retard en blocage systématique de la part des défendeurs, l'enquête Caron mettra quatre longues années à se conclure. Jean Drapeau s'y fera remarquer sans arrêt, interrogeant, plaidant haut et fort, et à grand renfort d'infinis détails sur tout ce qui bouge d'illégal à Montréal. Il devient, au-delà de Plante qui ne lui dispute pas ce rôle, monsieur Moralité. On aura beau l'intimider, le suivre la nuit alors qu'il sort de son bureau, le menacer de mort ou tenter de le soudoyer en lui offrant même une maison pour sa famille, rien n'y fait.

La Ligue d'action civique

La situation a quelque chose d'euphorique pour le flamboyant Pierre Desmarais et ses alliés, dont l'efficace J.-Z.-Léon Patenaude. Il y a plus que l'enquête Caron elle-même. Une sorte de mouvement collectif de changement s'est formé, basé sur un appel à la probité ainsi que sur le retour à la loi et l'ordre.

Montréal ne peut plus fonctionner comme s'il s'agissait d'un village nordique sans foi ni loi. Un comité, c'est bien, mais il faut aller plus loin. En 1951, Desmarais décide de transformer le Comité de moralité publique en une force de frappe politique; la Ligue d'action civique mènera ses activistes dans tous les clubs sociaux et sur toutes les tribunes, au-delà même de Montréal, soutenus par le *Devoir*, le clergé et l'Ordre de Jacques-Cartier.

En attendant le rapport du juge Caron, une nouvelle élection municipale s'annonce pour le 25 octobre 1954 avec Camilien Houde qui sera probablement réélu une huitième fois malgré les démonstrations évidentes de perte de contrôle de son administration. Le changement, s'il doit s'opérer, commence par l'arrivée au pouvoir d'élus imbus d'une nouvelle mission valeureuse. Mais les quatre années de batailles qui s'achèvent ont épuisé un peu tout le monde et, à l'été, l'énergie des réformateurs n'y est pas.

S'enchaînent alors une série d'événements qui vont modifier définitivement le cours de la vie de Jean Drapeau.

Pierre Desmarais voudrait bien briguer la mairie et porter le mouvement plus loin, mais, pour accéder au poste, il faut absolument être résident de Montréal. Il est d'Outremont. Pax Plante, quant à lui, n'a pas tout ce qu'il faut. Son goût pour la grande vie le rend inéligible aux yeux des purs et durs de la ligue.

Jean Drapeau, de Rosemont, ferait un bon candidat. Son image est toutefois austère. Il n'a pas de charisme, disent plusieurs. Mais s'il n'y a personne d'autre… peut-être.

On l'approche. Mais voilà. Le principal intéressé, car il l'est certainement au départ, se souvient de ses 2 défaites dans les années 1940. Et l'idée d'affronter Camilien, même si des rumeurs de son départ circulent, ne lui sourit absolument pas. Et puis il y a Marie-Claire qui a à peine vu son mari «travaillomaniaque» depuis le mariage. Pour elle, il n'en est pas question.

Il faudra un religieux, le prêtre Marcel Desmarais, frère de Pierre, et un souper prolongé jusqu'au petit matin à la maison de campagne de ce dernier, pour convaincre Drapeau, et son épouse récalcitrante, de se lancer.

Le 3 septembre, Pierre Desmarais annonce que Jean Drapeau sera le candidat de la ligue à la mairie. Il reste moins de deux mois avant l'élection. On annonce aussi que 34 conseillers tenteront de se faire élire sous la bannière de la Ligue «non partisane» d'action civique qu'ils entendent arborer fièrement. En plus du renforcement du contrôle de la moralité publique, la ligue entend s'attaquer aux problèmes de circulation et de logement, enjeux qui comme on le sait ont complètement disparu aujourd'hui... Drapeau peut parler de ça comme du reste avec toute l'éloquence qu'on lui connaît. Il se lance avec fureur dans la campagne électorale.

Le 18 septembre, coup de tonnerre. Camilien Houde quitte la politique pour des raisons de santé. La raison invoquée est bien réelle, mais certains prétendent qu'il a troqué son départ contre une non-accusation par le juge Caron. Il semble aussi que Houde, qui a l'habitude d'être financé dans ses campagnes par l'Union nationale et Maurice Duplessis, n'a pas obtenu l'assurance par le premier ministre que ce sera le cas cette fois-ci. Toujours est-il que le coloré politicien part en faisant la une comme tant de fois dans sa carrière.

Cette annonce permet l'entrée en scène de nombreux candidats, dont Sarto Fournier (le candidat de Duplessis) et Adhémar Raynault. Houde n'appuyant aucun candidat, la lutte est maintenant très ouverte et ne sera pas facile pour Drapeau. Jusqu'à ce que, nouveau coup d'éclat, le juge Caron décide de déposer son rapport le 8 octobre, en pleine campagne électorale, de façon à ce que le résultat de ses travaux ait le maximum d'impact ; Pax et Drapeau triomphent.

Le rapport comporte près de 5000 chefs d'accusation, lesquels impliquent principalement une soixantaine de policiers. Il recommande entre autres le congédiement du directeur de police Albert Langlois. Même si le juge Caron refuse d'incriminer les politiciens, l'administration en place est éclaboussée. Cela dit, jamais Camilien Houde, qui jouit d'une certaine forme d'immunité étant donné ses antécédents de courageux prisonnier, ne sera visé par quelque accusation que ce soit.

Dès lors, il devient évident que Jean Drapeau peut être élu. Les fiers-à-bras de l'Union nationale et de la pègre montréalaise, qui voient l'arrivée du redresseur de torts d'un très mauvais œil, auront beau intimider les électeurs le jour de l'élection, le 25 octobre, Jean Drapeau les pourfend. Il remporte une victoire éclatante avec plus de 76 000 voix contre Raynault, son principal poursuivant qui obtient plus de 21 000 votes. Sarto Fournier finit quatrième. « Seuls les quartiers anglais boudent l'ancien " candidat des conscrits "[37]. » Vingt-sept candidats de la ligue sont élus avec lui, pas assez toutefois pour prendre le pouvoir complet sur l'appareil politique toujours composé de 99 membres de différentes classes.

Tout s'est passé très vite pour l'homme de 38 ans qui pourtant se prépare au pouvoir et en rêve depuis si longtemps. De 1950 à 1954, Jean Drapeau a été surtout avocat. Durant les quatre années de l'enquête Caron, interrompues par d'innombrables délais, il a dû gagner sa vie en allant de cause en cause pour faire vivre sa famille. D'une certaine façon, tout en étant une sorte de porte-étendard du renouveau municipal, il s'est tenu à l'écart de la croisade des Desmarais, Patenaude, Ruben Lévesque et autres. À titre d'exemple, il n'est pas membre officiellement de la ligue, du moins jusqu'à l'annonce de sa candidature.

Et puis voilà que, grâce au destin autant qu'à ses talents, il accède au plus haut rang municipal alors que jusque-là sa vision et ses ambitions et avaient été d'envergure nationale.

Le soir de l'élection, il est en pleurs et porté en triomphe sur une estrade installée en plein cœur du grand hall de l'hôtel de ville. « Peuple de ma ville, déclare-t-il, je salue ta victoire, car c'est vraiment la tienne. Tu l'as voulue et tu l'as eue[38]. » À certains moments, on frise le délire, et Drapeau doit se cacher pour éviter d'être écartelé. Est-il désemparé par ce renversement tout de même soudain de sa situation? Nul ne le saura, sauf peut-être son père qui est élu conseiller municipal sous la même bannière que lui et qui l'observe au milieu du tumulte. Jean Drapeau arrive avec J.-N. à l'hôtel de ville. Et, fait assez inusité, c'est le fils qui pendra toute la place.

Chapitre 5

Le maire tire partout

Parmi les premiers gestes de la nouvelle administration de l'avocat Drapeau et de l'imprimeur Pierre Desmarais, nommé président de l'Exécutif (*le père du maire, J.-N. Drapeau, sera nommé maire suppléant*), se trouve la réintégration de Pax Plante dans ses fonctions. (*M. Plante sera de nouveau congédié sous Sarto Fournier. Il quittera le Québec pour vivre au Mexique en quasi-clandestinité et ne reviendra au Québec que sporadiquement, notamment lors de la célèbre commission d'enquête sur le crime organisé, CECO. Il mourra en 1976.*) Un autre geste est la fin de la distribution des enveloppes monétaires distribuées par la Ville, en guise de « remerciement », aux journalistes affectés à la couverture municipale. Cette façon de faire qui a aussi cours à Québec est jugée immorale et tendancieuse par Drapeau et ses acolytes. Les journalistes s'en souviendront.

Drapeau déclare qu'il laisse la pratique du droit au moins pour la durée de son mandat de trois ans, de façon à éviter les conflits d'intérêts potentiels. Il instaure aussi une nouvelle ère de transparence à l'hôtel de ville, qui sera ouverte plus que jamais aux journalistes dont il souligne l'importance en société. Devant la Chambre de commerce de Montréal, le nouveau maire annonce la création du Bureau de renseignements, de plaintes et de suggestions de la Ville, ouvert à tous les citoyens. Il veut aussi former un bureau de la publicité qui sera chargé d'informer les citoyens sur l'activité municipale. Il songe même à filmer les séances du Conseil pour rediffusion. En annonçant cela, il est ovationné à plusieurs reprises au restaurant Hélène de Champlain qui déborde.

Dès ses premiers jours au pouvoir, celui qui pourtant tiendra les médias à distance presque toute sa carrière semble se soûler de vie médiatique et publique. Il instaure la clinique de sang du maire, qui deviendra une tradition, se rend à l'aéroport au volant de son automobile cueillir lui-même des vedettes de passage à Montréal. Tout est prétexte à conférence de presse et sortie publique.

Fait exceptionnel et unique dans les annales de la Ville, il invite la population à son assermentation qui a lieu en grande pompe le 4 novembre et à laquelle participent 1000 personnes. Il veut marquer le coup du changement de régime par une cérémonie grandiose. Est-ce parce que le chanoine Groulx l'a encensé et lui a fait comprendre qu'il est dorénavant en mission ? On dirait que le nouveau maire a la tête qui tourne.

Avec des déclarations comme « Les affaires civiques sont l'affaire de tous », il se présente comme un politicien moderne, ouvert, qui en appelle à la solidarité et à la bonne foi de la majorité. Il sera d'ailleurs élu homme de l'année au Canada par la British United Press.

Mais au-delà de l'esbroufe et de ces élans pour la plupart contraires à ce que sera la carrière du grand maire, les « vraies affaires » commencent pour celui que l'on désigne comme « l'homme au teint pâle et à la petite moustache[39]. »

Montréal n'est déjà plus la métropole

Au début de 1955, on dit toujours de Montréal qui compte plus de un million d'habitants que c'est la métropole du Canada. À bien des égards, ce n'est déjà plus le cas.

Bien sûr, la prospérité n'a de cesse depuis la fin de la guerre. À preuve, on construit des hôtels, dont le Queen Elizabeth. Le choix de ce nom qui ne peut être plus anglais fera se soulever la communauté canadienne-française, dont Jean Drapeau. On voudrait le nommer Château Maisonneuve. Comme on le sait, le propriétaire de l'hôtel, le Canadien National, impassible, aura gain de cause.

De nombreux édifices publics dont l'hôpital Sainte-Justine, l'École polytechnique et l'édifice de la future Université Sir Georges Williams (*aujourd'hui Concordia*) sont en construction. Les premiers centres commerciaux apparaissent et les nouveaux supermarchés Steinberg se multiplient. Les brasseries Molson, Labatt et Dow font aussi des affaires d'or. Montréal vit à l'abri des problèmes de chômage, et le salaire moyen augmente substantiellement.

Mais à bien d'autres égards, la situation se détériore. La voie maritime du Saint-Laurent commence à se creuser et, conséquemment, les activités portuaires montréalaises ne seront plus le terminal du Canada. Le transport routier si fondamental au développement économique souffre à Montréal, plus que dans diverses grandes villes canadiennes, de graves problèmes de fluidité qui mèneront entre autres à la construction du boulevard Métropolitain et de l'autoroute des Laurentides, et plus tard dans les années 1960 et 1970 de l'ensemble du réseau routier de la région métropolitaine tel qu'on le connaît aujourd'hui.

Le camionnage a un impact sur l'industrie du transport par train, qui décline. Montréal, grand manufacturier de matériel ferroviaire, en pâtit. Et puis la production d'automobiles, en plein boom, se concentre en Ontario.

Toujours en matière de transport, l'aéroport de Dorval qu'on agrandira bientôt demeure, au milieu des années 1950, le plus performant du pays. Mais cela ne durera que le temps que les avions arrivent à développer des rayons d'action plus longs. Ils cesseront alors de faire escale à Montréal pour se rendre directement à Toronto[40].

Surviendra aussi la longue période de reconversion industrielle dans le secteur manufacturier, qui n'est pas évidente au moment où Jean Drapeau prend le pouvoir, mais qui fera mal à Montréal plus qu'ailleurs.

Finalement, et c'est probablement l'exemple le plus probant de la perte de leadership de Montréal, Toronto, favorisée par les investissements américains, devient la capitale financière du pays. Dès les années 1930, la valeur des transactions boursières était déjà plus élevée à Toronto. Plusieurs compagnies d'assurances déménagent dans cette ville. Tous les indicateurs économiques démontrent qu'en 1960 Toronto a dépassé Montréal et est devenue la capitale financière du pays. Les Montréalais mettent un certain temps à s'en rendre compte[41].

Pendant ce temps, le premier passage de Jean Drapeau à la mairie n'est pas de tout repos pour celui qui aime que les choses soient menées à sa façon. Le Conseil municipal est pratiquement ingouvernable. Étant donné la position minoritaire de la ligue, le changement des mœurs et des pratiques politiques à la base du mouvement s'effectue difficilement. Les conseillers qui ont l'habitude de se faire rembourser leurs contraventions par le président de l'Exécutif ont beau être rabroués, les vieilles pratiques, entre autres en matière de spéculation foncière, sévissent encore. Et puis les milieux interlopes ne supportent pas l'élection du maire. Par deux fois, on s'en prendra à sa résidence en lançant des pierres qui fracasseront des vitres de la toute nouvelle maison de l'avenue des Plaines.

La connaissance approfondie de Desmarais en ce qui a trait aux rouages de l'administration municipale et du monde des affaires ne suffit pas à réformer la Ville, aux prises avec de mauvais plis vieux de 50 ans.

En matière de développement urbain, Drapeau et Desmarais proposent un projet ambitieux : la mise en place de voies rapides qui enjamberaient le Mont-Royal. Mais ils ne viennent pas vraiment à bout en si peu de temps des graves problèmes de circulation. Le remplacement progressif des tramways par des autobus ne règle pas tout. Les automobiles se multiplient et les rues ressemblent la plupart du temps à de grands serpents immobiles, aux écailles métalliques multicolores.

Œuvrant avec un budget qui dépasse les 100 millions de dollars pour la première fois dans l'histoire de la Ville, ils se lancent aussi dans plusieurs projets qu'ils ne peuvent mener à terme, comme celui de se retirer complètement du champ de l'aide sociale prodiguée par la Ville, à laquelle sont habitués les Montréalais.

Et puis même s'il s'agit d'un tandem considéré comme dynamique, des tensions apparaissent entre Drapeau et Desmarais. Ce dernier apprend à connaître « son homme » qui aime mieux travailler seul et lancer ses propres projets. Ils ont la même philosophie politique, mais Desmarais, homme au style direct, n'est pas du genre à se faire déjouer ou ignorer. Et comme Drapeau n'aime pas être contrarié…

Mettre de l'huile sur le feu

Il faut dire que monsieur le maire est très éparpillé. Il se mêle de tout. Il a de multiples gestes anodins qui font état d'une excitation désarmante, comme le remplacement de la photo de la reine Élisabeth qui orne son bureau par un beau crucifix doré. Le *Herald* (*quotidien à sensation de l'époque où M. Drapeau fera connaissance avec un journaliste et futur allié, Bill Bantey*) en fera sa une.

Quand la célèbre suspension de Maurice Richard survient en 1955 et que des manifestants saccagent la rue Sainte-Catherine, Drapeau semonce Clarence Campbell et déclare ce qui suit : « Il aurait été sage pour M. Campbell de s'abstenir de venir au forum. En fait, sa présence a pu être interprétée comme un véritable défi. » Il dit aussi : « Il me paraît évident, à la veille des séries éliminatoires, que la décision atteint encore plus tout le hockey et tout le club Canadien que Maurice Richard lui-même. » De quoi je me mêle ? dirait-on aujourd'hui. La réponse de Campbell sera sans appel : « Quel triste et étrange commentaire de la part du premier magistrat (sic) de notre ville, un homme qui est engagé par serment à faire respecter la loi, un homme qui est responsable de la protection des citoyens et de leurs biens par l'intermédiaire de la force policière[42]." Il faudra que le Rocket en personne appelle les Canadiens français au calme, eux qui font de cet incident un symbole d'affirmation nationale, pour que la colère cesse.

Comme s'il était toujours en manque d'audience, en 1956, Drapeau, chevalier de toutes causes, parcourt la province au moment même où des élections québécoises se déroulent et fait des déclarations qui débordent ses attributions de maire. Il s'engage sur le terrain provincial.

Toujours à la recherche d'événements spectaculaires, Drapeau, pourtant réputé prude, offre au peintre d'envergure internationale Alfred Pellan d'exposer ses œuvres rétrospectives à l'hôtel de ville. Certains des tableaux suscitent la controverse. D'aucuns qualifient même l'entreprise de « porcherie », si bien que l'archevêché somme le maire de retirer plusieurs œuvres. Pris entre l'arbre et l'écorce, il sera obligé de faire appel à un groupe pour juger de la valeur morale des œuvres. Il devra finalement retirer deux tableaux de l'exposition.

Ses exagérations et incohérences atteignent leur paroxysme quand on apprend que lors de son premier voyage à Paris, à la suite de l'invitation du Conseil de la Ville, il a offert à ses hôtes une réception digne d'un chef d'État. Il a fait venir du Québec des chevreuils, des dorés, du fromage Oka et du sirop d'érable, et a fait préparer par un grand chef un dîner évalué à 1500 $, sans les frais de transport, une somme plus que rondelette pour l'époque.

Toutes ces incartades et erreurs de jugement lui valent les railleries de l'opinion publique et de la presse. On dit de lui qu'il est bien vertueux le jour, mais qu'il a un penchant pour le péché le soir. Duplessis se lèche les babines de tant d'erreurs commises par le jeune blanc-bec qui ose lui faire la leçon politique et morale depuis 10 ans.

Drapeau semble en porte-à-faux entre son rôle de maire et celui de politicien national. À certains égards, il conçoit la Ligue d'action civique comme un parti politique provincial. Il ne cessera durant toutes ces années de répandre sa bonne parole dans toutes les régions du Québec. Pourtant, lorsque beaucoup plus tard dans sa carrière il sera interrogé sur ses ambitions de cette époque, il niera avoir eu des visées autres que municipales.

La Place Ville Marie

En 1955, Jean Drapeau joue un rôle important dans ce qui deviendra un projet symbolique et mobilisateur : la Place Ville Marie. Un jour, William Zeckendorf, président de la société new-yorkaise Webb and Knapp, demande à rencontrer le maire. Un courtier en immeubles nommé Rodolphe Lemire a convaincu cette firme de développeurs de construire un centre d'affaires qui serait relié à la Gare centrale et au nouvel hôtel Queen Elizabeth, en construction. D'ailleurs, Donald Gordon, président du Canadien National, fait partie du groupe de développeurs, ainsi que James Muir, président de la Banque Royale du Canada.

Le projet est imposant. Dans sa première phase de conception, on l'envisage 10 fois plus grand que tout autre projet au centre-ville de Montréal depuis la fin de la guerre. Un véritable gratte-ciel à l'américaine, vaste comme une petite ville, pourrait donc prendre place avec ses commerces souterrains, ses bureaux et des salles de spectacles. L'ensemble a de quoi intéresser le nouveau maire.

Drapeau encourage donc Zeckendorf : « Continuez votre étude et revenez me voir quand vous pourrez préciser. Nous favorisons la réalisation du projet. » Mais le maire met l'homme d'affaires en garde. « Il faudra trouver un nom français. » Zeckendorf, qui sait ce qui s'est produit dans le cas du Queen Elizabeth, a prévu le coup. Il propose : « Centre de la réforme ».

Drapeau n'aime pas. « Ça pourrait être à Madrid ou à Mexico. » Il suggère alors : « Place Ville Marie[43] », d'après le nom qu'ont donné les fondateurs de la ville à la petite bourgade qu'ils ont érigée au bord du fleuve quelque 300 ans auparavant. Zeckendorf accepte et Drapeau, beau joueur, lui indique qu'il pourra dire qu'il a choisi ce nom.

La question du nom étant réglée, il s'agit maintenant de voir aux plans et à l'implantation. À cette époque, il existe bel et bien un service d'urbanisme à la Ville. La municipalité dispose même d'un plan directeur de développement. Mais il est à ce point incomplet qu'il devient vite désuet. Et puis, peu importe. Quand quelqu'un se présente avec des millions, il faut tout simplement l'accommoder.

« Dans les faits, à cette époque comme aujourd'hui, dit Guy R. Legault, l'urbanisme est un champ d'actions ponctuelles, sur des projets isolés, où pèse lourd l'influence des arcanes politiques. Les valeurs du Comité exécutif et du Conseil priment les données techniques les plus élémentaires. L'urbanisme est une chasse gardée de la classe politique aidée en cela par quelques fonctionnaires complaisants[44]. »

Perspective d'ensemble ou pas, Montréal, qui se trouve à l'époque en retard sur d'autres villes d'Amérique du Nord en matière de construction de gratte-ciel et de développement de centres-villes comme on les connaît aujourd'hui, bénéficiera du déclencheur que constitue la Place Ville Marie.

Jusque-là, le centre-ville de Montréal était situé plus bas et plus à l'est, partant de l'hôtel de ville jusqu'au square Victoria. Les rues Saint-Jacques et Notre-Dame étaient ses deux artères principales.

Bien sûr, la Sun Life, les magasins Morgan et Eaton, la Gare centrale et l'hôtel Queen Elizabeth de même que la transformation de la rue Dorchester en boulevard avaient marqué le début de la migration qui s'opérait vers le nord-ouest. Mais c'est avec la Place Ville Marie que tout se concrétise.

Le projet grandiose dérange. Des promoteurs montréalais qui ne voudront pas que le nouveau Montréal tombe aux mains des Américains érigeront au cours de la même période l'édifice CIL ainsi que celui de la Banque Canadienne Impériale de Commerce qui ne veut pas se faire damer le pion par « la Royale ». Suivront quelques années plus tard le Château Champlain, la Place du

Canada et, un peu plus au sud, la Place Bonaventure et la Tour de la Bourse qui finiront par unir l'ancien et le nouveau centre-ville. Tout cela avant l'Expo 67.

L'architecte principal Ieoh Ming Pei concevra, avec la participation de confrères montréalais qui sont aussi à travailler à la Place des Arts, l'immeuble cruciforme que l'on connaît aujourd'hui, haut de 188 mètres, le plus élevé de la ville pendant quelques années. PVM deviendra le symbole du Montréal moderne. Cela dit, c'est sous l'administration de Sarto Fournier que l'adjudication finale des terrains se fera et que la construction de l'édifice débutera. Jean Drapeau, lui, continuera d'appuyer les promoteurs du projet jusqu'à à sa reprise du pouvoir en 1960 et par la suite.

Le 13 septembre 1962 est un grand jour. À seize heures, le premier ministre du Québec Jean Lesage, le cardinal Paul-Émile Léger et Jean Drapeau, pour ne nommer que ceux-là parmi les 1500 invités et les 100 journalistes conviés à l'inauguration officielle, sont ébahis devant la beauté et la grandeur de l'édifice.

La Presse consacre la totalité de sa une à l'événement. De multiples reportages sont produits dont un, typique d'une époque révolue, qui fait grand état de calculatrices installées pour les clients dans la succursale de la Banque Royale, située au rez-de-chaussée.

Pour motiver ce choix, on explique : « Il arrive à de charmantes Montréalaises après leurs emplettes dans plusieurs magasins des environs d'aller additionner rapidement leurs reçus pour savoir combien elles ont dépensé[45]. »

Près de 50 ans plus tard, la Place Ville Marie a été dépassée en hauteur par plusieurs édifices, mais son architecture et surtout son rôle pivot dans le développement du centre-ville tel qu'on le connaît aujourd'hui et dans celui du Montréal souterrain, long de 33 kilomètres et objet de tant de curiosité touristique, en font toujours un bâtiment remarquable.

Conseil et Place des Arts

Des premières années de pouvoir du jeune politicien, on retiendra aussi en avril 1956 la création du Conseil des arts de la région métropolitaine. Jean Drapeau, qui accorde une importance réelle au rôle des arts dans la ville, ne sait trop comment gérer tous ces artistes en manque d'argent qui se présentent continuellement à son bureau. C'est alors qu'il imagine ce système où, à partir d'un pourcentage de la taxe de vente qui à l'époque appartient aux municipalités, sera financé un organisme qui aura pour mandat de coordonner et encourager des initiatives culturelles. Le Conseil composé de 16 personnes issues des communautés francophone et anglophone est présidé par Léon Lortie et doté d'un premier budget de 129 000 $. Il s'agira d'un geste structurant pour la métropole.

À l'époque, il n'existe rien de tel au Canada. Cette « création » du maire suscite donc un grand intérêt, y compris chez le premier ministre canadien Louis Saint-Laurent qui le recevra pour entendre parler de cette nouvelle façon de gérer les arts, qui se répandra par la suite partout au pays.

Alain Duhamel, journaliste de carrière qui suivit l'activité municipale montréalaise de 1978 à 1986, fils d'un confrère nationaliste de Jean Drapeau du temps du Bloc populaire, Roger Duhamel, se souvient qu'un jour le maire lui confia que le Conseil des arts était l'une des réalisations dont il était le plus fier. « M. Drapeau avait aussi été impressionné d'être reçu par Louis Saint-Laurent à cet effet. J'ai toujours été étonné de voir comment il était en admiration devant ceux qui réussissaient, dans son domaine comme dans tout autre. Il se voyait souvent plus petit qu'eux. Il me l'a confié. Il avait une forme de complexe par rapport à tous ceux qui avaient accompli des exploits. »

Toujours sur le plan culturel, le rôle que commence à jouer Jean Drapeau lors de son premier mandat dans l'avènement de la Place des Arts est aussi majeur. Il faut dire que l'homme est habité par une passion qui peut même être qualifiée de lubie. Il aime la musique classique, et particulièrement le chant classique qui lui rappelle sa mère morte trop jeune.

Le baryton Robert Savoie fut témoin de ce grand amour du politicien pour le chant : « M. Drapeau était un amoureux d'opéra. Il en mangeait le matin, le midi, le soir. Il soupait, il couchait avec l'opéra. Dans sa voiture, il y avait toujours de l'opéra. On pouvait l'entendre dire : "Ça, c'est une voix. Ah ! lui, c'en est toute une !" Peu importe s'il avait chanté *Tristan* ou *Rigoletto*, ça n'avait aucune espèce d'importance. Lui, ce qu'il aimait, c'était le chant, la voix[46]. »

Qu'il s'agisse de la Place des Arts, des concerts populaires à l'aréna Maurice-Richard pour lesquels il choisissait parfois lui-même les programmes et les artistes, d'une bonne partie de la programmation culturelle d'Expo 67 ou de la musique entendue à son restaurant le Vaisseau d'or, Drapeau travaillera assidûment pendant toute sa carrière à la promotion de l'art lyrique. Ses tentatives internationales pour former une compagnie d'opéra montréalaise sont bien connues. En compagnie de Wilfrid Pelletier, il visita les grandes villes d'Europe comme Milan et Vienne pour s'enquérir des méthodes de fonctionnement de leur opéra. Il monta un dossier complet à ce sujet, forma un comité d'experts avec Robert Savoie et Joseph Rouleau, expatriés à Londres, et réunit des investisseurs. Il annonça publiquement ses intentions.

Malheureusement, le projet tel qu'il le concevait ne vit jamais le jour.

Adepte de littérature et d'histoire, il sera aussi très ouvert à l'art visuel et au design dans la mesure où ces disciplines respectent certains codes. Il leur fera une grande place dans ses projets. Musique, chant, peinture, sculpture ; toutes ces disciplines artistiques doivent, selon sa conception, faire partie de l'arsenal de toute grande ville qui se respecte. C'est pourquoi, dès les premières années de Drapeau à la mairie, la création d'un organisme voué à la création d'une salle propre à la grande musique prend tant d'importance pour lui.

La technique Drapeau

Jean Drapeau est reconnu sans conteste comme le maire nord-américain (si ce n'est occidental) qui aura permis la réalisation du plus grand nombre de projets d'importance dans une même ville. Cette étiquette est certainement la plus marquante qu'on lui accola. Combien de fois a-t-on entendu monsieur le maire dire : « J'ai un projet » ? Quelquefois saugrenues, d'autres fois structurantes, la plupart du temps spectaculaires, les idées « de grandeur » du maire, motivées par son désir toujours puissant d'élever la nation canadienne-française au rang des grands peuples, ont forgé un héritage souvent utile tout autant que coûteux aux Montréalais et aux Québécois. Mais force est d'admettre qu'elles façonnèrent Montréal irrémédiablement.

Un jour de 1967, en entrevue à la célèbre émission *Le sel de la semaine* animée par Fernand Seguin, M. Drapeau expliqua avec une simplicité désarmante comment il s'y prenait pour aller de l'avant : « Je développe mes idées en petit groupe, discrètement, habituellement avec deux ou trois personnes en qui j'ai confiance. Ensuite, je procède à certaines vérifications. Souvent, c'est là que l'idée s'arrête. Si l'idée suit son chemin, si elle résiste aux analyses, alors là, quand je sais qu'elle tient la route, je m'organise pour la rendre incontournable. C'est seulement à ce moment que je la présente en public, quand je sais qu'elle va se faire. Plusieurs des idées que j'ai ne vont pas très loin. Celles-là, les gens n'ont pas besoin de les connaître. Il n'est pas bon de faire rêver les gens pour rien. »

« Je ne cultive pas les idées pour le plaisir de les collectionner. Je les cultive dans la mesure et pour la joie de les transformer en action[47] », dira souvent Jean Drapeau. Ce *credo*, il l'appliquera tout au long de sa vie publique.

Bertrand Bergeron, économiste de formation, était jeune fonctionnaire en 1978 lorsqu'on lui demanda de travailler directement avec M. Drapeau à l'analyse de différents projets qui pouvaient lui être soumis par le maire. Il le fit pendant plusieurs années.

« J'entrais dans son bureau et je ne savais jamais à quoi m'attendre. C'était un homme d'une grande érudition. Sa formation d'avocat lui avait aussi formé l'esprit de telle sorte qu'il formulait toujours ses idées en plaidoiries. Il attendait aussi de ceux qui collaboraient avec lui qu'ils débattent de ses propositions. Comme si quelque part se trouvait un juge ou un arbitre. Mais je crois que le juge ultime, c'était lui.

« Il était toujours à la recherche de nouveaux projets, mais je n'arrivais pas toujours à savoir où il s'en allait. Un jour, il me demanda de vérifier comment la ville de Trois-Rivières en était arrivée à se développer au XIXᵉ siècle, entre Québec et Montréal. Une autre fois, il me demanda d'analyser le taux de victoires et de défaites des Expos selon que le toit du Stade olympique était ouvert ou fermé. Un autre jour, il me demanda de considérer l'impact que pourrait avoir la récupération de la taxe de vente appliquée à Montréal sur le budget de la Ville. »

Cette méthode qu'il utilisa avec succès n'est pas la seule explication pour le résultat fantastique du maire au chapitre du développement de sa ville. Comme d'autres avant et après lui, Jean Drapeau aura su, quand l'occasion se présentait, tirer le meilleur profit de ce qu'il y avait déjà sur la table. Il fut aussi toujours ouvert aux diverses options inattendues qui se présentent souvent en cours de développement.

Pour lancer le projet de la Place des Arts, il réunit d'abord au nouveau restaurant Hélène de Champlain 24 personnes influentes, dans le but de les convaincre de la nécessité de doter Montréal d'une telle salle.

Avant de lever la séance, il prit soin de faire souscrire à chacun, sur-le-champ, la somme de 100 $ pour constituer les fonds nécessaires à la mise sur pied du projet[48]. Ce sera le Centre Sir-Georges-Étienne-Cartier (*politicien nationaliste qui fut premier ministre du Canada avant la Confédération*), nom que lui donnera Maurice Duplessis, puisqu'il faut bien faire appel à lui pour que l'organisme prenne vie.

En 1955, la Charte de la Ville ne permettait pas d'agir en cette matière. Il fallait, pour aller au plus direct comme l'aimait Drapeau, obtenir l'accord du premier ministre qui, comme on le sait, n'aimait pas beaucoup le jeune politicien depuis ses incartades au Bloc populaire. Peu importe. Rencontre fut demandée par le maire fringant.

Curieusement, lors de la réunion, alors que les deux hommes s'opposaient déjà sur plusieurs fronts, le *cheuf* se montra très sympathique à la création de l'organisme et de la salle (*cette attitude était peut-être dictée par les promesses faites à l'ancienne administration*). Ainsi, la « loi pour faciliter l'établissement et l'administration d'une salle de concerts à Montréal » fut sanctionnée en février 1956.

Drapeau fut-il particulièrement convaincant comme il le sera tant de fois au cours de sa carrière, ou Duplessis vit-il dans cette initiative un potentiel bénéfice électoral ? Toujours est-il que le projet de salle se mit en branle. Au départ, l'entente dit ceci : la Ville y mettra un million de dollars, Québec deux millions et demi de dollars, et des souscripteurs privés fourniront le reste.

Arrive ensuite la délicate question du choix du terrain. Pour ce faire, Drapeau doit à nouveau affronter Duplessis. La description de la manière dont le maire s'y prit à ce moment, et qu'il reproduira maintes fois, mérite que l'on s'y attarde.

Le nouveau maire savait que le choix entre un site à l'ouest ou à l'est de la ville n'allait pas être chose facile et que Montréal pourrait s'enflammer pour cette question. Très rapidement, il se fit sa propre idée de l'endroit idéal. Le site où se trouve bel et bien aujourd'hui la Place des Arts, où se situaient à l'époque des édifices de la Commission des écoles catholiques, allait être le bon. Dans sa vision, il se situait parfaitement au centre, entre les anglophones et les francophones. Il permettait aussi le redressement du quartier, jonché de taudis ; de plus, dans ce coin de la ville, les tramways et trolleys allaient être bientôt remplacés par des autobus. Finalement, il serait attenant à sa « Cité des ondes » qu'il voyait se construire juste à l'est et où il imaginait entre autres installer Radio-Canada, à la recherche d'un nouveau site.

Tout cela avait un certain sens urbanistique. Deux certitudes apparaissaient toutefois, claires à son esprit quant à la faisabilité de l'affaire. Il fallait agir vite et avec circonspection, tout préparer et n'agir publiquement que lorsque tous les fils allaient être attachés.

Drapeau utilisa alors des amis de Duplessis afin de l'influencer lorsque le choix serait imminent. Entre autres, en catimini, il présenta trois emplacements potentiels au président du quotidien *Montreal Star*, John McConnell, ami du premier ministre. Il prit bien soin à la fin de ses entretiens avec le propriétaire du journal de le convaincre de son choix. Il fit aussi miroiter le projet auprès de nombreux professionnels de la ville, tant anglophones que francophones, dont les architectes Hasen Sise et Jean Michaud qui travailleront aussi à la Place Ville Marie.

Il se servit ensuite du Conseil du Centre Sir-Georges-Étienne-Cartier et le convint de son site situé stratégiquement à mi-chemin entre l'est et l'ouest, de façon à éviter un maximum de critiques. Il se fit alors 24 alliés. C'est ainsi qu'il se présenta de nouveau devant Maurice Duplessis en plaidant pour le terrain situé au coin des rues Sainte-Catherine et Jeanne-Mance Élément central : le terrain appartenait au gouvernement du Québec. Duplessis, ayant été sensibilisé favorablement et voyant que tout baignait dans l'huile, acquiesça, allant même jusqu'à céder le terrain gratuitement.

C'est alors qu'entre en jeu celui qui deviendra le directeur du service d'urbanisme Claude Robillard (*du centre sportif du même nom, mais non représentatif de l'homme à ce qu'on dit*), qui sera nommé à ce titre par Jean Drapeau.

Robillard avait déjà attiré l'attention de plusieurs au service des parcs, grâce à de très belles réalisations comme le restaurant Hélène de Champlain (dont on vantait la cave à vins) et la Roulotte, théâtre d'été ambulant destiné aux enfants, qui existe encore 50 ans plus tard. Reconnu comme un homme de goût, de culture et d'esprit, il ne pouvait mieux servir la vision de

Drapeau, et le courant passa vite entre les deux hommes. C'est lui qui deviendra gérant de projet et qui posera les premiers jalons de ce qu'allait être la Place des Arts, en compagnie de celui qui devint président du Centre Sir-Georges-Étienne-Cartier, Louis A. Lapointe, président de la cimenterie des frères Miron. Les deux hommes furent aidés par la firme américaine Loewy, réalisatrice du Lincoln Center à New York. Jean Drapeau, lui, resta à la corporation, mais se fit temporairement plus petit, sachant que son projet de salle était sur les rails.

Le Plan Dozois

Parmi toutes les difficultés auxquelles ont à faire face Drapeau et Desmarais durant leur mandat s'en trouve une plus signifiante, qui leur sera pratiquement fatale : leur opposition au Plan Dozois.

Au début des années 1950, différentes associations sociales et religieuses s'étaient jointes à la Ville pour réfléchir à la problématique question du logement à prix modique. Cela donna naissance à ce que l'on convint d'appeler le Plan Dozois, du nom du conseiller municipal et membre du Comité exécutif Paul Dozois qui l'avait piloté.

L'homme est commerçant de tabac et allié de Maurice Duplessis, qui le fera élire dans Montréal-Saint-Jacques en 1956 et le nommera aussitôt ministre des Affaires municipales. M. Dozois aura par la suite une longue carrière en politique et dans le domaine public.

Au moment où Jean Drapeau et Pierre Desmarais prennent le pouvoir en 1954, Dozois, réélu, devient pour ainsi dire conseiller de l'opposition. Mais comme la ligue ne possède pas la majorité au Conseil, ce dernier est à même de faire avancer son projet qui a déjà reçu l'approbation et les garanties de subsides des gouvernements provincial et fédéral.

Quel est ce projet? Le remplacement de taudis par la construction de tours et d'édifices comprenant des habitations à loyer modique, qu'on appelle à l'époque « habitations salubres ». Il s'agit de ce qu'on appelle aujourd'hui les Habitations Jeanne-Mance, situées dans le quadrilatère formé par les rues Ontario, Sanguinet, Maisonneuve et Coloniale.

Drapeau et Desmarais sont en désaccord avec ce projet. Le premier a d'autres visées pour cette partie de la ville. Il considère l'intersection Saint-Denis et Sainte-Catherine comme son « Times square ». Pour lui, il s'agit du véritable cœur de Montréal. Il voudrait y installer une sorte de Cité des ondes dont il conçoit les grandes lignes, un centre d'activités institutionnelles, culturelles et commerciales qui ferait la jonction avec « l'autre » centre-ville situé plus à l'ouest. Et puis, parlant du projet lui-même, il dit : « On ne remplace pas des taudis par des cabanes[49]. » D'ailleurs, on peut induire que Drapeau, fidèle à sa pensée, résiste à voir le type de citoyens qui habitent ces logements dans cette partie de la ville. Desmarais, lui, plus catégorique, considère que ce n'est pas du ressort de la Ville de construire des maisons et d'ainsi concurrencer le secteur privé.

Les deux hommes commencent alors à s'opposer formellement au projet de Dozois, donc encore une fois à Duplessis et à « son homme ». Dans le but de faire diversion, ils vont jusqu'à concevoir un vaste programme d'habitation échelonné sur 10 ans, touchant à 247 secteurs de la ville, en commençant par le domaine des Sulpiciens, situé beaucoup plus au nord.

Drapeau tente par tous les moyens de bloquer le projet. Il rencontre le ministre fédéral de l'Habitation pour demander des modifications. Il multiplie les déclarations publiques incendiaires. La bataille fait rage, et l'opinion publique penche en faveur de Dozois, devenu ministre. Son projet a le mérite d'être clair et de pouvoir se réaliser rapidement. Mais Desmarais et Drapeau sont de véritables teignes. Le Plan Dozois a peine à se mettre en branle.

C'en est assez. Un beau jour de septembre 1957, le premier ministre Duplessis débarque à l'hôtel de ville pratiquement sans s'annoncer. Il vient défier Desmarais et Drapeau.

Accompagné de sa garde rapprochée, il arpente les couloirs de l'hôtel de ville, entre sans frapper dans la salle du Comité exécutif et, avant même que Desmarais lui offre de s'asseoir, il prend place sur le siège du maire qui, alerté, accourt de son bureau situé au premier étage.

Une discussion orageuse de deux heures aura lieu. Drapeau, courageux, maintient ses positions : « Ce projet ne sera pas construit tant que je serai maire », dit-il en regardant Duplessis droit dans les yeux. Ce dernier lui répond : « Voilà une affaire de réglée[50]. »

Gérard Filion, l'éditorialiste du *Devoir* opposé à Duplessis, annonce au lendemain de l'altercation : « Cette démarche est le premier coup de canon de l'Union nationale pour s'emparer de Montréal. » La vengeance de Duplessis va s'exécuter. Un mois avant l'élection municipale, la guerre est déclarée.

La bataille du Plan Dozois est fondamentalement politique. Voici ce qu'en dit l'éditorialiste Filion à deux jours de l'élection : « La haute finance ne pardonne pas à l'administration Drapeau-Desmarais de n'avoir pas passé sous ses fourches caudines. Elle redoute particulièrement l'élection d'une Cité des ondes qui pourrait délacer vers l'est une partie des intérêts et des affaires de l'ouest. Le Plan Dozois qui crée à perpétuité un écran de pauvreté entre l'ouest et l'est ferait mieux son affaire[51]. »

La défaite annoncée

Durant toute la bataille qu'avait occasionnée le projet Dozois (*qui permettra à un talentueux politicien de la ligue, Lucien Saulnier, de se faire remarquer*), les opposants au tandem Drapeau-Desmarais, menés par Lucien Croteau, avaient décidé de se former eux aussi un parti politique : le Ralliement du Grand Montréal.

Au moment de la campagne, le RGM recrute Sarto Fournier comme candidat à la mairie, le choix de Duplessis à l'élection de 1954. Pourquoi compliquer les choses quand on peut les simplifier et pourquoi risquer d'indisposer le *cheuf*?

La lutte sera sauvage. Dérangé par un jugement de la Cour supérieure qui invalide le jugement de la Commission Caron au sujet du chef de police Albert Langlois, malmené par les employés municipaux qui, en négociation, critiquent les penchants fastueux du maire, Drapeau doit aussi faire face à une opposition d'une violence physique extrême. Ruben Lévesque, un des leaders de la ligue, est battu sauvagement par des fiers-à-bras. Les candidats de la ligue doivent être escortés par des gardes du corps. Toutes les techniques d'intimidation développées par la pègre et propres aux campagnes électorales sont en vigueur. Drapeau réplique par l'utilisation payée des ondes radio et télévisées. Ça ne fait pas le poids.

« En plus de ses ressources humaines et de la collaboration de son organisation, écrit le biographe de Duplessis, Conrad Black, l'Union nationale fournit 200 000 $ à la campagne de Fournier dont la plus grande partie fut dépensée en brochures et annonces dans les journaux[52]. » L'équipe de Sarto Fournier va même jusqu'à représenter Drapeau coiffé à la Hitler et portant un brassard nazi. Rien n'est laissé au hasard pour « débarquer » Drapeau qui a peu fait, durant son premier mandat, pour s'aider. La plupart de ses interventions positives ne donneront des résultats que plusieurs années plus tard.

Le verdict implacable tombe le 28 octobre 1957. Le soir de l'élection, Drapeau est complètement abattu et ne se présentera en public que vers minuit. Le résultat est dur à avaler. Il n'a perdu que par 4000 votes aux dépens de Fournier... et de Duplessis. L'élection a été truquée. Plus de 14 000 votes ont été rejetés. Des gens se sont présentés plusieurs fois pour voter. Ce qui n'empêche pas *La Presse* de titrer en première page de son édition du 29 octobre : *Les élections se sont déroulées dans l'ordre.*

L'élection de 33 conseillers de la ligue, dont Desmarais, Lévesque et son père, ne le console pas.

Jean Drapeau, mal préparé à sa fonction, trop fébrile et mal « aligné », n'a pas su être à la hauteur de ce premier mandat que lui ont confié les citoyens de Montréal. Il en tirera de grandes leçons de différents ordres. Parmi celles-ci, il tiendra compte que, malgré son supposé manque de charisme, son inexpérience, ses bourdes et Duplessis, il a obtenu plus de 78 000 votes. Il semble se passer quelque chose entre lui et les Montréalais.

Chapitre 6

Drapeau premier ministre ?

1959. Montréal oscille entre l'ancien et le moderne. Il ne reste plus qu'une centaine de tramways en circulation. Camilien Houde est mort subitement l'automne précédent, à 69 ans. Des milliers de personnes ont défilé devant son cercueil placé dans le grand hall de l'hôtel de ville. «Monsieur Montréal» aura régné suffisamment longtemps sur la ville pour la voir s'électrifier, voir disparaître les voitures à chevaux en même temps qu'admirer les machines à laver pouvant fonctionner sans tordeurs.

La ville a ses innovateurs : Sam Bronfman, qui a fait construire un gratte-ciel de 38 étages à New York, les docteurs et chercheurs Penfield, David, Masson et Selye, les comédiens Jean Gascon et Jean-Louis Roux, les sportifs Robert Bédard et Yvon Durelle ainsi que le sculpteur Armand Vaillancourt et le pianiste compositeur André Mathieu, qui animent la bohème montréalaise.

Sarto Fournier, déjà sénateur, achève son seul et unique mandat. Son séjour à la Ville ne passera pas à l'histoire, si ce n'est pour son initiative visant à procurer à Montréal une exposition universelle.

Durant cette période, deux grands débats font rage à Montréal : l'organisation territoriale et la fiscalité. Les discussions qu'ils suscitent ressemblent en tous points à celles qui ont cours 50 ans plus tard. L'idée « d'une île, une ville » que défendent déjà Drapeau et Desmarais, ne sourit absolument pas aux banlieues riches et anglophones qui se retrouveraient, selon elles, gouvernées indûment. Et puis pas question non plus pour ces dernières de contribuer financièrement plus qu'il ne le faut à la ville centre. Lors de l'étude du « *bill* de Montréal » en 1959 à Québec, les Montréalais présents affirment : « Les banlieusards gagnent leur argent à Montréal et payent leurs taxes à d'autres municipalités. » Et les banlieues de répondre : « Les bureaux, les usines et les entrepôts où ils travaillent payent leurs taxes à Montréal et nos banlieusards dépensent leur argent bien gagné dans les magasins et les restaurants de Montréal[53]. » Des péages sur les ponts, avec ça ? On aura beau créer une Corporation du Montréal métropolitain, les tiraillements et guerres à ces sujets se poursuivront jusqu'à la parution de ce livre et je prédis qu'elles dureront encore 50 ans.

Pendant que les premières familles s'apprêtent à entrer dans leurs logis des Habitations Jeanne-Mance et que le pont Champlain et le futur aréna Maurice-Richard (*nommé ainsi par Sarto Fournier*) sont en construction s'ouvre la voie maritime du Saint-Laurent. Ce projet unique au monde qui a coûté un demi-milliard de dollars, une somme astronomique pour l'époque, est inauguré en présence de la reine Élisabeth et du président américain Eisenhower.

Jean Drapeau, lui, aime réfléchir à voix haute, comme il en a l'habitude depuis l'enfance. Retourné à la pratique du droit mais continuellement en conférences de toutes sortes, il dit ouvertement qu'on lui a volé son élection et il continue sa croisade pour la restauration de la moralité.

Lors de certaines activités publiques qu'il provoque lui-même, demandant un prix d'entrée pour assister à ses allocutions, il fait sa propre et surprenante lecture de la situation de Montréal, par exemple face à Toronto : « Montréal a pris depuis quelques années, sous le rapport de la production manufacturière, une avance décisive sur Toronto. À la lecture des statistiques fédérales, on constate non seulement que Montréal dépasse Toronto, mais aussi que la valeur de notre production est supérieure à celle de Vancouver et Toronto réunies. Pourtant, au cours des années qui suivirent la Deuxième Guerre mondiale, Toronto occupait une place aussi importante que la nôtre dans le domaine industriel[54]. »

Drapeau représente toujours la Ligue d'action civique, mais pendant que Pierre Desmarais et Lucien Saulnier livrent une guerre de tous les instants au Conseil municipal devant le RGM (*M. Drapeau père, de nature taciturne, n'y sera jamais une figure dominante*), il s'élance et glisse sur toutes sortes de terrains. Un jour à Québec, il déclare solennellement qu'il faut réformer la Constitution canadienne rejoignant le clan des sécessionnistes. « Bâtir enfin l'État du Québec fort, sûr de lui, dynamique et rayonnant, voilà la grande tâche à laquelle nous sommes appelés. Tout ce qu'il y a dans cette province de dignité blessée, de liberté frémissante, de volonté de progrès et d'espérance invincible, tout cela doit enfin se traduire dans une politique où se confondent l'épanouissement de l'homme et la grandeur de l'État[55]. » Jean Drapeau a été fasciné toute sa jeunesse par les affaires constitutionnelles. Dans un recueil qu'il publie au cours de cette période, *Jean Drapeau vous parle*, il fait état de ses réflexions sur ce sujet ainsi qu'en matière économique.

Étant donné ces démonstrations et selon certaines sources[56], il semble bel et bien hésiter entre la politique provinciale et municipale. De fait, plusieurs, au sein de la ligue, croient que la mission du regroupement dépasse les limites de Montréal. La Ligue d'action civique étudie la possibilité d'étendre son action et crée même des cellules aux quatre coins de la province[57]. Drapeau et Patenaude multiplient quant à eux les rencontres en vue de la formation d'un nouveau parti politique provincial.

Perdu dans l'espace

C'est dans ce cadre que Jean Drapeau reçut en 1958 Gérard Pelletier et Pierre Elliott Trudeau chez lui, sur l'avenue des Plaines. Trudeau et Pelletier cherchaient de toutes les manières possibles à se débarrasser de Maurice Duplessis et de l'Union nationale. Ils doutaient de la capacité à réussir de Jean Lesage qui s'annonçait comme chef du Parti libéral du Québec. Connaissant en partie les intentions de la Ligue d'action civique, ils acceptèrent l'invitation de Drapeau de discuter de la question « à la maison ». Trudeau n'avait-il pas été « travailleur d'élection » 15 ans plus tôt pour son ami Drapeau ?

« La discussion tourna mal lorsque, si on se fie à Pelletier, Trudeau et Drapeau se querellèrent sur la nature de la démocratie et que Trudeau évoqua des principes inquiétants pour l'esprit pratique d'un Jean Drapeau[58]. » Cet entretien n'eut jamais de suite et les deux hommes n'allaient se retrouver qu'en 1968 au moment de Terre des Hommes.

S'attaquant tantôt aux anglophones de Montréal qu'il accuse de voter pour Duplessis et d'ainsi perpétuer les systèmes de corruption en vigueur, tantôt aux fonctionnaires de la province qu'il juge médiocres, Drapeau va de scène en scène, à la recherche d'une voie qu'il a peine à trouver. Pendant toute cette période, il recevra l'appui périodique du chanoine Groulx qui ne cessera jamais de lui rappeler qu'il est d'une catégorie supérieure et qu'il est venu sur terre pour servir les Canadiens français.

La base du 3150

Comme si dans tout ce tumulte il ressentait le besoin de se fixer et de s'isoler, c'est en 1959 que Jean Drapeau fit construire avec son père ce qui deviendra son bureau personnel, si important étant donné la nature de l'homme, situé dans la rue Sherbrooke Est. Ce sera son refuge. D'abord construit pour accueillir des locataires, il aura tôt fait de transformer l'immeuble en une sorte d'hôtel particulier assez secret.

Ce triplex où Drapeau écrivait ses textes importants, organisait ses rencontres politiques et où il accumula de façon quasi maladive des milliers de souvenirs de toutes sortes ainsi qu'une quantité incroyable d'articles de presse écrits à son sujet resta toujours un lieu privé.

Il y dormait, s'y faisait à manger, seul à minuit en sortant de l'hôtel de ville. Il y finissait ses soirées au son d'opéras tirés de sa collection impressionnante de disques, tous numérotés et bien classés au salon.

Plusieurs personnes interrogées pour ce livre se vantent encore aujourd'hui d'être entrés au « 3150 », ainsi qu'on appelait l'endroit, de son adresse civique. Arriver à être reçu par monsieur le maire à son bureau qui tenait à la fois du musée et du capharnaüm était un privilège ou une exception. C'est là qu'en 1960 Drapeau fit le point sur sa carrière. Pourtant pleine d'effervescence et de rebondissements, elle n'allait nulle part.

Le Parti civique

Les tentatives pour transposer la Ligue d'action civique sur la scène provinciale faisaient long feu. Le Parti libéral ne laisserait pas se créer aussi facilement un nouveau parti au Québec. Et cette voie de développement créait de vives tensions au sein de la ligue. Jean Drapeau se révélait un loup solitaire. Il décidait lui-même du thème de ses interventions et de ses tactiques. Il développait ses propres idées et avait la mauvaise habitude de mettre trop souvent ses confrères devant le fait accompli. Pierre Desmarais, homme d'action autoritaire et même colérique, passait quelquefois des jours sans dérougir.

Jean Lesage, quant à lui, s'apprêtait à constituer le successeur parfait de Maurice Duplessis. Tous ceux et celles qui avaient combattu Duplessis pendant 20 ans et qui, à différentes occasions, avaient été des compagnons d'armes de Drapeau étaient maintenant devenus des libéraux. Jean Drapeau, à qui on avait songé au Parti libéral pour remplacer Georges-Émile Lapalme[59], n'avait finalement pas été appelé.

Quand survinrent les morts successives de Duplessis et de son remplaçant Paul Sauvé, la porte s'ouvrit toute grande aux libéraux qui prirent le pouvoir le 22 juin 1960. Le Québec entrait dans une nouvelle ère.

Les choses commencèrent à s'envenimer sérieusement au sein de la ligue peu après cette élection. Dès le mois de juillet, Pierre Desmarais fut délégué auprès de Jean Lesage pour tenter de le convaincre d'amender la Charte de la Ville afin d'abolir la classe de conseillers C, peu démocratique, qui rendait la Ville si difficile à gouverner. Des élections s'annonçaient pour l'automne à Montréal, et la résolution de ce problème était prioritaire pour la ligue tant pour des raisons électoralistes que fondamentales.

Jean Lesage, pourtant considéré comme plus ouvert à la ligue que ses prédécesseurs unionistes, ne considéra pas la demande de Desmarais comme une priorité. Cela mit Drapeau hors de lui. C'est alors qu'il demanda à

Lucien Saulnier de l'accompagner à un rendez-vous qu'ils obtinrent secrètement avec le même Jean Lesage qui accepta parce que c'était « le » Jean Drapeau.

Devant le premier ministre, Drapeau n'hésita pas une minute et joua de chantage. « Je veux administrer la Ville. Je ne serai pas candidat si je dois faire face à 33 conseillers non élus », dit-il. Il menaça Lesage de ne pas se présenter à la mairie si l'abolition de la classe C n'avait pas lieu. Ce faisant, la ville allait retourner aux mains de l'Union nationale, plaida l'avocat légèrement prétentieux.

Quelques semaines plus tard, l'Assemblée législative du Québec fut convoquée à une séance extraordinaire où l'on décida d'obliger l'administration municipale à tenir un référendum sur l'abolition de la classe C en même temps que l'élection. Drapeau et Saulnier avaient gagné leur première bataille commune d'importance, mais venaient de déclencher une guerre interne irréparable.

Quand Desmarais apprit que Drapeau l'avait court-circuité et surtout qu'il avait réussi là où il avait échoué, il explosa, offrit sa démission au parti et alla réfléchir à son avenir en Gaspésie.

L'affrontement entre les deux leaders allait avoir lieu. Et comme c'est souvent le cas dans ce genre de situation, Lucien Saulnier s'avéra être le troisième homme qui allait décider du gagnant. Depuis 1954, Saunier, propriétaire de mercerie, avait fait ses classes comme conseiller municipal. Il était devenu un politicien redoutable, un bon orateur et une personnalité imposante.

Le 26 août, Drapeau annonça publiquement de son bureau de la rue Sherbrooke qu'il allait être candidat à la mairie, sans en avertir la ligue. Il aurait pu faire mieux pour arranger les choses. Mais l'instinct de tueur qui constitue une partie de l'arsenal des meilleurs politiciens avait été plus fort.

Ce geste provoqua des rencontres épiques. Dans les médias, on rapporta les grandes tensions au sein du parti. Saulnier était considéré en quelque sorte comme étant à la tête d'un bon nombre de membres de la ligue qui voulaient voir Drapeau écarter Desmarais, jugé tyrannique. Quelle ne fut pas sa surprise d'apprendre, au sortir d'une réunion de stratégie électorale, que Drapeau et Desmarais s'étaient réconciliés et que ce dernier retirait sa démission !

Drapeau semblait ne plus savoir quelle voie suivre, et c'en fut trop pour Saulnier. Il lui demanda de trancher entre sa bande et celle de Desmarais. Pour convaincre le candidat à la mairie de rejeter le groupe de Desmarais, on imputa à ce dernier des tentatives de putsch. Drapeau, qui avait œuvré pendant 10 ans avec ce fidèle guerrier fondateur de la ligue, avait peine à y croire. Il était déchiré entre sa loyauté envers Desmarais et l'occasion qui s'offrait à lui d'avoir les coudées franches.

Son hésitation dura 24 heures : « J'ai vu Me Drapeau osciller entre la loyauté et M. Saulnier, je l'ai vu changer d'idée 5 fois le même jour et chaque fois trahir son dernier interlocuteur », raconte J.-Z.-Léon Patenaude[60]. Finalement, Drapeau choisit Saulnier. À la mi-septembre, les journaux racontèrent comment un schisme au sein du parti avait permis à 17 conseillers de la ligue de se rallier derrière Jean Drapeau. Le 25 septembre 1960, à un mois de l'élection, Drapeau, flanqué de son père, de Lucien Saulnier et de Gérard Niding, annonçait la création du Parti civique. Au programme, la transformation du boulevard Décarie en une autoroute en tranchée, la réalisation du métro et la construction de logements neufs dans Saint-Henri.

Patenaude, notamment, allait avoir de la difficulté à se remettre de ce combat politique. Quelques années plus tard, il publia un pamphlet intitulé *Le vrai visage de Jean Drapeau* et fit un portrait très dur du politicien. Selon lui, Drapeau se prenait pour un roi. Sa pensée politique tenait de Franco, Salazar ou Peron[61]. Ambitieux, assoiffé de pouvoir, il ne ménageait rien ni personne pour arriver à ses fins, pas même la formation d'un parti « totalitaire » comme le Parti civique. Patenaude exagérait, et sa charge à fond de train était si porteuse de fiel qu'elle perdit en crédibilité.

Mais il est vrai que Jean Drapeau, à partir de 1960, devint un politicien d'un autre ordre. Il se créa une trousse de survie qui allait le servir pendant un quart de siècle.

D'abord, il organisa une équipe politique à sa façon, prête à le servir dans sa nouvelle définition de ce qu'est la démocratie. « La démocratie n'est pas un système de participation publique, mais un système par lequel on choisit des dirigeants. La société ne pourrait pas fonctionner si ses dirigeants essayaient de suivre les désirs de la population au jour le jour », dira-t-il à maintes reprises.

Adepte de Machiavel, il développa à l'endroit de « son peuple » plusieurs des théories qu'avait échafaudées le penseur politique, dont celles à l'effet que la ruse et la séduction doivent être employées pour garder le pouvoir, et que le peuple « aime » être gouverné plus qu'écouté.

Plus tard, il indiqua comment il voyait son parti politique. « La porte d'entrée du parti est très étroite, mais la sortie très grande. » Et puis il présenta son style : « Ce n'est pas un secret que j'aime la discipline, que je déteste la perte de temps et ne supporte pas les discussions inutiles[62]. »

Avec ses réformes de l'appareil municipal, il allait se donner une marge de manœuvre inégalée dans l'histoire de l'administration publique montréalaise. Pour le journaliste Alain Duhamel, avec le Parti civique, Jean Drapeau a pratiquement créé le parlementarisme municipal. « L'arrivée d'un parti politique ordonné a beaucoup fait pour que le Conseil municipal cesse d'être une foire d'empoigne. M. Drapeau n'aimait pas être contesté au Conseil, il n'y prenait pas souvent la parole, mais il tenait à ce que cette instance procède selon certaines règles. Il a vraiment fait beaucoup pour que cette institution démocratique cesse de ressembler à ce qu'elle était du temps dysfonctionnel de Camilien Houde. »

Et puis, conseillé par un journaliste adversaire, Bill Bantey, avec qui il allait se liguer pour tenter d'amadouer les anglophones[63], il changea d'attitude face aux médias. Dorénavant, il n'allait parler que lorsqu'il aurait quelque chose à dire. Il cessa dès lors de répondre aux questions hypothétiques et de se prêter au jeu médiatique, et n'intervint sur la place publique que quand cela faisait son affaire, se servant des médias comme d'un amplificateur.

Mais la plus grande transformation de Jean Drapeau durant cette période fut certainement qu'il arrêta de tergiverser. Dorénavant, il allait se vouer exclusivement aux affaires montréalaises. C'est à ce moment qu'il décida d'entrer en religion pour servir sa ville. À partir de l'élection de 1960, sauf exception, jamais on n'entendra plus monsieur le maire se mêler d'autre chose que ce qui concerne Montréal.

Voici ce que dit Claude Ryan le 14 août 1999 dans le *Devoir* au sujet de cette transformation définitive : « Jean Drapeau, ne l'oublions pas, était une superbe bête politique. J'expliquerais par cet instinct de survie caractéristique de nombreux maires et aussi par la grande difficulté qu'il eût éprouvée, en évoluant sur une scène plus large, à partager avec d'autres le pouvoir qu'il pouvait détenir seul à Montréal, le fait qu'il préféra s'en tenir à agir dans les domaines où il avait un pouvoir véritable et exclusif. »

Jean Drapeau décida finalement qu'il se rendait au bout de lui-même, au-delà des autres. Pour Jean Cournoyer, qui connut bien Jean Drapeau, entre autres au moment où il fut ministre du Travail sous Robert Bourassa, « M. Drapeau avait un ego plus large que le monde. Mais c'est à cause de ça qu'il a réalisé ce qu'il a réalisé. Si Drapeau n'avait pas eu cet ego-là, ce goût d'être et de se perpétuer à travers ses œuvres, Montréal ne serait pas ce qu'il est. Des gars comme Sarto Fournier, ça n'avait pas d'ego. Quand t'as pas d'ego, tu fais rien[64]. »

Le 24 octobre 1960, à l'issue d'une campagne jugée sans éclat et à laquelle participèrent moins de 50 % des gens inscrits sur la liste électorale, Jean Drapeau remporta une victoire sans équivoque, défaisant Sarto Fournier par près de 30 000 votes. Avec lui, il fit élire 44 candidats du Parti civique sur une possibilité de 66. La Ligue d'action civique fut emportée, ne faisant élire aucun candidat, même pas Pierre Desmarais ni J.-Z.-Léon Patenaude. Maintenant, il allait pouvoir gouverner à son goût.

Pour ce faire, il n'avait rien négligé et avait mis en pratique une dernière leçon apprise lors des campagnes électorales auxquelles il avait participé.

Quelques jours avant l'élection, le Parti civique annonça qu'un complot était en cours afin de truquer l'élection au profit de Sarto Fournier. La veille de l'élection, Drapeau, accompagné de la Police provinciale et de journalistes, effectua lui-même une descente dans un logement de la rue Sainte-Catherine Ouest où l'on découvrit des plans de la ville et des documents qui, semblait-il, devaient servir à «passer des télégraphes», soit des votes qui s'ajoutent illégalement à la liste électorale. Quatre personnes furent arrêtées, et Drapeau prit grand soin d'annoncer la nouvelle à ses partisans réunis en assemblée ainsi qu'à qui voulait bien l'entendre. Il parla «d'un gigantesque réseau de télégraphes organisé dans le but de voler l'élection[65].». Outré, il scanda qu'il n'allait pas se faire voler comme la dernière fois.

L'épisode ne se termina pas ainsi. Les biographes Purcell et McKenna affirment que cette tentative de vol n'aurait jamais existé et était tout simplement un coup monté de la part de Jean Drapeau lui-même, ayant pour but de discréditer ses opposants, de fouetter ses troupes et de monter la population contre tous ces corrupteurs d'élection dont il fallait se débarrasser une fois pour toutes en votant pour lui[66].

À ce sujet, Lucien Saulnier dit, avec un sourire en coin : «J'ai toujours pensé, toujours soupçonné que les preuves avaient été placées dans l'appartement en question par des gens pas très éloignés de moi[67].»

Drapeau nia bien sûr qu'une telle supercherie puisse avoir eu lieu et continua d'affirmer qu'on avait tenté de le battre en trichant. Pourtant, aucune des personnes qui furent arrêtées ce jour-là ne fut accusée de quoi que ce fût. Dans les jours qui suivirent l'élection, on enterra complètement l'affaire.

Gagner une élection, ça aussi, Jean Drapeau l'avait appris. Il n'allait plus en perdre.

CHAPITRE 7

LE DUO MAGIQUE

À partir de 1961, Jean Drapeau, Lucien Saulnier et, dans une moindre mesure, Gerry Snyder forment une équipe redoutable. Le poste de président de l'Exécutif va comme un gant à Saulnier. Ce dernier, de nature réfléchie et responsable, apprendra très vite à faire contrepoids à son maire aux idées extravagantes. Gerry Snyder, à titre de vice-président de l'Exécutif, s'avérera quant à lui un compagnon de route très fiable.

Le tandem Drapeau-Saulnier se lance dans une foule de projets dont plusieurs avaient été annoncés en campagne électorale et, disons-le, dont on discutait depuis des lustres. Le mérite politique n'est jamais pur. Les politiciens viennent et puis s'en vont. Souvent, ils prennent à la cuisine des plats sur le point d'être prêts à servir. Drapeau et Saulnier ne feront pas exception à la règle, à la différence près que leur longévité au pouvoir, surtout celle de M. Drapeau, changera un peu la donne.

D'abord, il faut finir de réformer les services policiers. Pour ce faire, Drapeau et Saulnier auront recours à des spécialistes venus directement de Londres. Ensuite, il faut équiper Montréal d'autoroutes. Un plan complet est à l'étude. La question d'organisation territoriale est aussi une priorité. Drapeau et Saulnier voient l'existence de la Corporation du Montréal métropolitain comme un bâton dans les roues d'«une île, une ville». Au cours des années qui vont suivre, ils réussiront à annexer la ville de Rivière-des-Prairies et le village de Saraguay[68]. Mais pour Outremont, Mont-Royal et Westmount, pour Saint-Laurent qui compte déjà plus de 40 000 habitants et pour plusieurs autres, il faudra repasser.

L'aéroport de Dorval a été agrandi, et le 29 juin 1962 sera ouvert à la circulation le pont Champlain, duquel on pourra admirer le tout nouveau et magnifique édifice cruciforme appelé Place Ville Marie. Les gratte-ciel commencent à chatouiller le ciel de Montréal. On s'intéresse au Vieux-Montréal qui tombe en décrépitude et on annonce la formation de la Commission Jacques Viger[69] chargée des questions patrimoniales. Claude Robillard et les urbanistes Van Ginkel joueront un rôle très important dans la préservation de ce quartier.

Maurice Richard, l'idole des francophones, a son aréna en forme de dôme. Pendant que le célèbre ingénieur Bernard Lamarre amorce les études préliminaires de l'autoroute Ville-Marie de l'échangeur Turcot à la rue D'Iberville, on annonce la construction d'un tunnel qui reliera Montréal à Boucherville, au coût de 50 millions de dollars. Les discussions sur l'implantation de la nouvelle « place » de Radio-Canada vont bon train. Et puis la Place des Arts est en construction.

À Québec, on songe à d'autres réformes des structures de gestion de Montréal, y compris à une réévaluation des pouvoirs des principaux postes électifs. Le tandem sera très attentif à ces questions.

Jean Drapeau cultive ses relations avec les gouvernements supérieurs. C'est à cette époque qu'il commence à leur rendre de nombreux services, particulièrement au gouvernement fédéral. On lui demande par exemple d'accueillir à Montréal des délégations étrangères dont on n'a pas vraiment le temps de s'occuper. Il jouera aussi le rôle d'estafette lors de ses voyages à l'étranger, se faisant le porteur de messages non écrits de ministres ou premiers ministres à leurs homologues d'autres pays. De petits services rendus dont il tirera bénéfice tôt ou tard.

L'ouverture de la Place des Arts

Le projet de la Place des Arts suit son cours laborieux. Ce qui s'est passé depuis la fin de 1957 est tellement plein de péripéties de toutes sortes que cela a fait l'objet d'un livre de plus de 400 pages, écrit par Laurent Duval qui fut directeur des relations publiques de la Société[70].

D'abord, les coûts de construction de la première phase du projet, comprenant principalement la grande salle qui prendra le nom du chef d'orchestre Wilfrid Pelletier en 1966 (*les salles Maisonneuve et Port-Royal allaient être réalisées quelques années plus tard*), les espaces extérieurs et les stationnements, doublent pratiquement en cours de route pour s'établir finalement à plus de 23 millions de dollars. Ces dépassements qui, de façon simplifiée, peuvent s'expliquer par une mauvaise évaluation de départ de différentes options étant donné le résultat souhaité, font énormément de bruit et amplifient l'impression que « les riches », les bourgeois et les aristocrates sont en train de se payer un éléphant blanc à leur goût.

De fait, la Place des Arts sera un centre artistique de prestige, faisant entre autres honneur aux œuvres d'art, de design et de décoration. Avec sa salle de 2990 places, elle sera absolument comparable aux autres lieux du même type en Occident, par exemple le Lincoln Center de New York, et deviendra un lieu d'accueil potentiellement rentable pour les producteurs de grands spectacles internationaux basés aux États-Unis. Cela a son coût pour une ville comme Montréal.

L'Union des artistes frappe

À cinq mois de l'inauguration officielle, un imbroglio majeur de nature politico-syndicale survient alors qu'on ne s'y attendait pas. L'Union des artistes décide pour des raisons stratégiques autant que fondamentales d'utiliser la Place des Arts comme champ de bataille politique. L'UDA demande pleine juridiction syndicale au Centre Sir-Georges-Étienne-Cartier, exigeant que l'on repousse le puissant syndicat américain Actors's Equity qui règne alors sur toute l'Amérique du Nord et qui s'apprête à ajouter un fleuron à sa couronne prolétaire, sans coup férir.

L'UDA en fait un enjeu national, réclamant entre autres des opéras joués en français et plus de place pour les artistes du Québec sur la grande scène.

Le conflit majeur qui en résulte implique plusieurs des grands noms de la scène artistique et politique, dont Jean-Louis Roux, Albert Millaire et l'avocat Marc Lalonde. Les administrateurs du Centre Sir-Georges-Étienne-Cartier et Jean Drapeau tentent de toutes les façons possibles de trouver des terrains d'entente pendant les cinq mois que dure l'affrontement. Le maire, sensible à certains arguments de ses amis francophones et nationalistes, tient malgré tout mordicus à ce que l'ouverture de son premier grand projet se passe bien. Il en va de sa crédibilité. Cela, l'UDA, avec le comédien Pierre Boucher à sa tête, l'a bien compris. Boucher ne cède pas jusqu'à l'inauguration.

Pendant ce temps, des groupes politiques comme le Ralliement pour l'indépendance nationale emboîtent le pas à l'UDA et s'attaquent aux responsables du projet qui ne peuvent qu'être à la solde du capital, des profiteurs et des représentants de l'élite qui assimilent le bon peuple.

C'est aussi le cas du Front de libération du Québec. Quand s'amorce le conflit de la PDA, des bombes ont déjà explosé sur le territoire de Montréal, causant la mort d'un homme et faisant des dégâts importants. L'atmosphère est sulfureuse.

Et lorsque arrive le 21 septembre 1963, soirée d'ouverture où les chefs Wilfrid Pelletier et Zubin Mehta dirigeront un concert de l'Orchestre symphonique de Montréal, une manifestation opposant 500 chahuteurs à 100 policiers prend place rue Sainte-Catherine, forçant tous les dignitaires en smoking à passer par les garages. Dans la rue, on crie « Place des Arts = Place des autres ! » On réclame ni plus ni moins que la nationalisation de l'institution.

La manifestation durera jusqu'à minuit sans qu'elle dégénère, mais entraînant tout de même 19 arrestations. L'UDA aura gain de cause complet dans cette bataille type de la cause nationaliste francophone propre à la Révolution tranquille[71].

Jean Drapeau, lui, vivra avec les séquelles de cette première grande réalisation qu'il aura mis huit ans à concrétiser. On découvrit alors un homme d'action particulièrement habile au jeu des relations et des plaidoiries, mais aussi un politicien aimant le faste et ne « regardant pas à la dépense ». Cette perception devint au fil des ans une image bien difficile à effacer.

Claude Ryan écrira ce qui suit dans son éditorial du *Devoir* du 23 septembre 1963 à propos de l'accouchement pénible du projet de la Place des Arts : « Les difficultés actuelles tiennent à ce qu'on n'a pas réussi à faire de cette entreprise un projet vraiment communautaire où toutes les couches du milieu se sentent engagées [...]. Ont été laissés de côté dans ce schéma superficiel les éléments importants de la vie montréalaise, notamment les artistes et les travailleurs [...]. Ces réserves étant faites, il faut reconnaître le côté positif de la situation. Même s'ils ont semblé guidés par un esprit de magnificence qu'on eût peut-être dû tempérer davantage, les administrateurs actuels de la Place des Arts ont accompli une besogne colossale. Ils ont réussi à construire un édifice public à la fois beau, fonctionnel, original. Ils ont droit à ce titre à la gratitude de leurs concitoyens. »

Communautaire, Jean Drapeau ? Il ne le sera jamais. Il sera populiste à certains égards. Royal, indubitablement. La douce euphorie de pouvoir et de développement dont s'enveloppe dorénavant le maire ne le quittera pas avant longtemps.

Les années folles

Place Ville Marie, Place des Arts, hôtels, chantiers autoroutiers, tout ce dynamisme facilité par la période de prospérité économique dans laquelle se trouve le Québec a mené à une réélection facile et pratiquement sans histoire de l'équipe Drapeau-Saulnier et du Parti civique le 28 octobre 1962. À tel point qu'on s'inquiète pour le respect de la démocratie. C'est un balayage total au cours duquel on élit maintenant 45 conseillers municipaux, dont 41 sous la bannière du Parti civique. La classe A de conseillers a été abolie, les élections auront dorénavant lieu aux quatre ans, et le maire pourra désormais soumettre au Conseil le nom des élus qu'il aimerait voir siéger à l'Exécutif. Comme ils sont tous sous la férule de Jean Drapeau qui mène son parti formé de commerçants et de professionnels comme un club privé, aussi bien dire que nous sommes en situation d'oligarchie. Le fait que le maire persiste dans sa volonté de se tenir loin des médias écrits, surtout quand ils sont anglophones, accentue l'impression grandissante qu'il est devenu une sorte de potentat.

Étant si bien organisés, Jean Drapeau et Lucien Saulnier veulent faire de Montréal une grande ville moderne. Pour cela, ils misent sur l'accomplissement de projets qui peuvent avoir des retombées économiques considérables et engendrer de forts investissements. En plein cœur de la Révolution tranquille, ils s'inscrivent dans un mouvement irrépressible où les Canadiens français vont se doter d'un véritable État et bâtir une société distincte à tout jamais. L'idée de devenir une ville majeure est donc tout à fait en harmonie avec l'air du temps, correspondant à une période unique de l'histoire du Québec.

Font-ils les bons choix pour Montréal? Durant cette période, Jean Drapeau est influencé par une réflexion qui a cours sous la direction de son homme de confiance en matière d'urbanisme, Claude Robillard. Horizon 2000 est le premier exercice d'urbanisme digne de ce nom réalisé pour la région de Montréal. En plus de présenter un plan témoin qui couvre un rayon de 50 kilomètres, Horizon 2000 table sur des prévisions démographiques pour 1981 et l'an 2000. On estime qu'à cette dernière date la région métropolitaine comptera 7 millions d'habitants! La région n'atteindra jamais la moitié de cette prévision[72].

À l'hôtel de ville, les plus grands espoirs sont permis pour la métropole. C'est du moins cette lecture que fait le maire. Il se refuse à admettre que sa ville n'est plus une métropole d'envergure nord-américaine, mais bien québécoise. Seul son caractère francophone la distingue et la fait se hisser au rang des villes d'importance à l'échelle internationale. Montréal, en quête d'affirmation française, rapetisse au sein du Canada.

« Plusieurs auteurs ont utilisé différents indicateurs pour comparer les performances économiques de Toronto et de Montréal : investissements manufacturiers, valeur de la construction, transactions boursières, compensations des chèques, volume des appels téléphoniques interurbains, etc. Tous confirment que vers 1960 Toronto a supplanté Montréal comme principale métropole du Canada et que l'écart se creuse au cours des années 1960 et 1970[73]. »

La population canadienne augmente dans l'ouest et décroît dans l'est. Le commerce se fait de plus en plus avec les États-Unis qui transigent surtout avec Toronto. Et l'immigration a lieu avant tout dans cette ville. La population de Montréal tend à stagner. Tout cela est visible au milieu des années 1960 pour qui y jette un regard attentif.

Jean Drapeau, lui, veut répondre à cela par du faste, du contemporain. Toujours fortement attiré par la France et « les vieux pays », il ne laisse jamais passer une occasion de s'associer à ce grand pays, comme quand le ministre français de la Culture André Malraux lui rend visite à l'hôtel de ville le 10 octobre 1963.

Drapeau salue « l'artiste, le combattant, celui qui de l'Extrême-Orient jusqu'en Europe a inlassablement interrogé les hommes et leurs histoires, faisant revivre les grandes ombres et les grandes œuvres qui sont notre lourd et exaltant héritage commun[74]. » Pompeux, Jean Drapeau ? Il ne le sera pas moins quand il sera accueilli par le général de Gaulle à l'Élysée. Le président sera charmé par ce maire « extraordinaire ». Il ira même jusqu'à l'inviter à un dîner privé avec un petit groupe de Québécois, honneur suprême.

Quelques années plus tard, apprenant que la chanteuse Monique Leyrac avait remporté plusieurs prix en Europe, il lui organisera une réception-surprise à laquelle participeront 7000 personnes à l'aréna Maurice-Richard. Il ira quérir lui-même la petite fille de Rosemont à l'aéroport.

Le maire ne voit pour sa ville que des réalisations grandioses, des espaces destinés à accueillir institutions et grandes entreprises, et une bonne dose de stationnements automobiles. Un bon exemple de cette vision demeurera toujours l'implantation de Radio-Canada, pour laquelle il aura fallu détruire un quartier complet de Montréal.

La « place » Radio-Canada

Les discussions entourant le déménagement des studios et bureaux de Radio-Canada situés principalement dans l'ouest sur la rue Dorchester dataient du début de la télévision en 1952. En 1957, au moment de la Commission royale d'enquête sur la radiodiffusion, la Commission Fowler, il devint de plus en plus évident qu'il fallait à la société d'État des locaux à la hauteur de l'innovation médiatique fondamentale que constituait la télévision.

Jean Drapeau s'était intéressé au dossier lors de son premier mandat. À cette époque, sans pouvoir le qualifier parfaitement, il perçoit l'avènement d'une société où les télécommunications joueront un rôle prépondérant. C'est à ce moment qu'avec quelques conseillers il pense à créer cette fameuse Cité des ondes dont Radio-Canada pourrait devenir le déclencheur.

La bureaucratie et les élections fédérales aidant, de 1957 à 1962, le choix de l'emplacement de ce qui s'appelle place Radio-Canada (eh oui, une autre !) est toujours ballant[75]. Entre les projets de la Place des Arts, de l'emplacement du nouveau Palais de justice et de la revitalisation du Vieux-Montréal qu'on commence à considérer, pour ne nommer que ceux-là, Drapeau et Saulnier vont suivre le dossier de Radio-Canada de très près.

Ils ne sont pas les seuls. Dès 1959, des marchands de l'est de Montréal et des élus ont développé une stratégie afin de convaincre Radio-Canada de s'installer dans le quartier Sainte-Marie, plus à l'est que ce qu'envisageait Jean Drapeau pour sa Cité.

Ce lobby dont Gabriel Grégoire, commerçant sur « la Catherine », est un des principaux représentants estime que l'est de l'artère marchande a besoin d'un vigoureux coup de pouce économique et commercial, et que la construction d'édifices majeurs comme celui que veut construire Radio-Canada ne peut qu'être bénéfique. Le terrain auquel on pense est bel et bien celui où se trouve encore la Société.

Radio-Canada, quant à elle, voit grand. Elle a besoin de 25 acres pour s'installer. Pourtant, l'immeuble n'occupera que 3,2 acres, le reste n'étant que dégagements et stationnements. Pour ce faire, il faudra démolir 262 bâtiments et déménager 700 familles.

Selon plusieurs sources, la décision que prendront Jean Drapeau et Lucien Saulnier d'appuyer ce site plutôt qu'un autre plus à l'ouest, comme ils l'avaient imaginé au départ, sera essentiellement politique. Ils emboîteront le pas aux marchands de la rue Sainte-Catherine, clientèle tout à fait agréable au Parti civique. Mais ce choix aura de lourdes conséquences.

Selon Guy. R. Legault, le service de l'urbanisme avait étudié à fond la question d'un site pour Radio-Canada et, après avoir considéré huit emplacements, on en était arrivé à la conclusion que le meilleur d'entre tous était celui situé juste devant la Place des Arts, là où se trouve aujourd'hui le Complexe Desjardins. Il y avait là, selon Legault, suffisamment de place pour le projet, un minimum de gens à déménager et une synergie naturelle avec la Place des Arts. Mais malgré cela, « les politiques », et en définitive Jean Drapeau, ne tinrent pas compte de cet avis.

Legault est sévère quand il dit : « Il a fallu une aveugle complaisance de toute la classe des décideurs impliqués dans ce dossier pour permettre de tels excès, voire de telles bêtises. De plus, le regain de vie de la rue Sainte-Catherine Est ne verra jamais le jour, bien au contraire[76]. »

Il est vrai que l'installation de Radio-Canada ne provoqua ni la revitalisation ni la création d'une véritable Cité des ondes, même si d'autres entreprises du domaine comme Télé-Métropole et Radio-Québec s'implantèrent au fil des ans dans ce même secteur.

À la fin de 1962, après sa réélection éclatante, Jean Drapeau et le Conseil municipal approuvèrent le projet de Radio-Canada dans l'est. En avril 1963, on annonça la démolition à partir de l'été des 262 immeubles installés dans le quadrilatère, vendus pour la somme de un million de dollars au gouvernement du Canada.

Il faudra 10 ans de plus pour que le projet de Radio-Canada se concrétise sous la gouverne des premiers ministres Trudeau et Bourassa, et sous celle de Jean Drapeau. Les travaux d'excavation ne commencèrent qu'en 1966, au coût de plus 70 millions de dollars. En tout et partout, on aura discuté de ce projet 21 ans avant qu'il voie le jour.

D'aucuns diront que les édifices démolis à l'époque étaient pour la plupart des taudis et que de toute façon il aurait fallu trouver une solution extrême à la situation. De fait, c'est tout un quartier, le « Faubourg à m'lasse », qui fut rasé avec ses arbres et ses rues, comprenant 12 épiceries, 13 restaurants, une vingtaine d'usines et plusieurs logements plus que convenables.

On invoquera l'instauration d'un bureau d'assistance aux 5000 citoyens touchés et le fait que certaines familles furent dédommagées de quelques mois de loyer au moment des expropriations pour démontrer que les précautions nécessaires au bon déroulement du projet avaient été prises. D'autres diront encore que ce type d'interventions urbaines s'inscrivait dans les mœurs de cette époque.

Mais quand on sait qu'avait été trouvé au moins un autre emplacement, devant la Place des Arts, qui aurait permis de réaliser le projet à un coût économique, social et humain beaucoup moins élevé tout en créant une synergie pour le milieu culturel de l'époque, on ne peut qu'être critique face à l'administration Drapeau-Saulnier au sujet de Radio-Canada.

Le jour de l'inauguration, Jean Drapeau avoua en entrevue à Radio-Canada que l'emplacement de son projet de Cité des ondes s'était déplacé lorsqu'il s'était rendu aux arguments des gens d'affaires de l'est qui, on le comprend, constituaient une bonne partie de sa base électorale. De toute façon, quand on connaît la pensée du politicien, du moment que c'était à l'est, ça ne pouvait qu'être bon pour les Canadiens français et Montréal !

L'habitation au centre-ville ne sera jamais une priorité pour Jean Drapeau. Tout au plus, il imagine cette fonction municipale, faite de projets immobiliers apportant du « neuf » et des investissements, en périphérie. Sa vision à cet effet s'apparente à celle qui a cours dans toute l'Amérique de l'époque. Les autoroutes mèneront les citoyens à leurs dortoirs. Cette vision aura tôt fait de sortir les gens de l'île et de peupler les rives sud et nord, causant ce qui est convenu d'appeler maintenant l'étalement urbain ainsi qu'un effet de « trou de beigne » où la richesse s'installe dans les pourtours au détriment de clientèles plus pauvres installées au centre, à proximité des services gratuits et des grands équipements. À la décharge du maire Drapeau, il ne sera pas le seul à causer ce type de phénomènes.

Le plus beau métro du monde

Que ceux qui trouvent que les projets prennent trop de temps à se réaliser à Montréal aillent se rhabiller : les premiers plans de métro pour Montréal remontent à 1910.

À l'époque, Paris, New York et même Boston se dotent de réseaux de transport souterrain. Comme la ville est en période de prospérité économique, il est plus aisé de songer à cette solution bien adaptée aux hivers rigoureux qui sévissent dans la métropole du Canada. Les premiers projets sont développés par le secteur privé qui tente sans succès d'obtenir les droits et le financement nécessaires aux travaux auprès des deux paliers de gouvernement. La Ville reconnaît les mérites de tels projets, mais ne peut en assumer les coûts toute seule.

Au milieu des années 1920, de nouvelles études et initiatives sont entreprises. La Compagnie des tramways est convaincue que Montréal doit construire son métro au plus tôt. Mais la crise économique stoppera ces nouveaux élans. La Ville, qui sera mise sous tutelle de 1940 à 1944 tellement ses finances sont dans un piteux état, ne peut toujours pas considérer de telles propositions.

En 1944, la Compagnie des tramways récidive avec un nouveau projet de 60 millions de dollars. D'autres études sont entreprises. Il est intéressant de constater qu'à des nuances près tous les projets, du premier au dernier, comprennent toujours une ligne nord-sud, longeant la rue Saint-Denis (ou Saint-Laurent) et une autre est-ouest, suivant Sainte-Catherine.

Cette fois, c'est du sérieux. La proposition s'inscrit dans un plan de transport important comprenant l'élargissement des rues et la construction de boulevards à accès limité. Les problèmes de circulation sont immenses et le boom automobile n'a de cesse. De 1946 à 1949, 2 commissions d'étude recommandent d'aller de l'avant. Le projet coûterait 180 millions de dollars et, en plus des lignes nord-sud et est-ouest, comprendrait une ligne en demi-cercle au nord du mont Royal.

La population est enthousiaste et commence à s'impatienter devant l'inertie municipale. Le débat sur la municipalisation du transport en commun fait rage. Il faut dire que la Compagnie des tramways, soupçonnée d'exploiter les utilisateurs, fait l'objet d'une enquête. Un tribunal est chargé de vérifier ses agissements. Le rapport du juge Tremblay, président de cette instance, est accablant. Le service est pourri et les tarifs, prohibitifs. On crée un organisme public : la Commission de transport métropolitain (CTM), qui entame ses activités en 1951 et reprendra le projet. Et voilà un autre report pour le métro.

En 1953, la CTM dépose un document de plus de 1000 pages dont la réalisation aura coûté 400 000 $. On y propose la construction d'une seule ligne qui démarre au nord de la rue Crémazie, descend au sud jusqu'à Saint-Jacques et vire à l'ouest jusqu'à Atwater. Coût : 117 millions de dollars.

Cette fois, bisbille au Conseil municipal. Compte tenu de la popularité grandissante de l'automobile et d'un certain déclin du transport en commun, les élus hésitent. Pourquoi investir dans un métro quand les grandes villes nord-américaines investissent massivement dans les autoroutes?

Lorsque Jean Drapeau prend le pouvoir une première fois, rien ne va plus pour le projet de métro qui a subi un enterrement de première classe. Pierre Desmarais est un farouche partisan de l'automobile et des autoroutes urbaines, et le nouveau maire, très occupé à soigner sa popularité, préfère s'en tenir aux plans de remplacement des tramways et de construction de rues qui sont sur la table. Pendant ce temps-là, Toronto ouvre son «subway» (*1954*). Il faut dire que la Ville disposait dès 1949 d'une réserve de 30 millions de dollars pour ce projet.

De 1957 à 1960, sous l'administration Fournier, les batailles incessantes entre partis politiques bloquent pratiquement l'administration municipale. À Québec, Maurice Duplessis avertit les Montréalais : «La construction d'un métro, c'est plus compliqué qu'on pense [...]. Si vous en construisez un est-ouest, il vous en coûtera les yeux de la tête. Et lorsque vous commencerez à le construire, vous bloquerez la circulation. Les expropriations vous coûteront cher. Et lorsque vous aurez terminé, vous n'aurez rien fait parce qu'il faudra en construire un nord-sud[77].» Dire que le *cheuf* n'est pas très chaud à l'idée du projet est un euphémisme.

Tout de même, en 1958, la Ville étudie un projet de métro moins coûteux qui propose l'utilisation des voies ferrées existantes du Canadien Pacifique (boucle qui serait complétée par un tunnel au centre-ville) et du Canadien National (tunnel sous le mont Royal).

Et puis à la fin de 1959, nouveau rebondissement : la Société d'expansion métropolitaine, entreprise totalement privée, propose un projet de 163 millions de dollars, clés en main. Cette fois, Jean Drapeau s'y oppose et déclare que c'est à la Ville de construire son métro.

L'offre qui suscitera de nombreux débats demeurera sans suite.

Le métro du Parti civique

En octobre 1960, Drapeau se laisse convaincre par son nouvel allié, Lucien Saulnier, d'inscrire la réalisation du métro à son programme politique. On ne le dira jamais assez, le grand promoteur du métro est Lucien Saulnier. Jean Drapeau, lui, est plus attiré par les monorails qu'il juge plus avant-gardistes, plus spectaculaires et, croyez-le ou non, moins coûteux.

Concentré sur sa réélection, Drapeau ne fait toutefois pas un grand débat de cette divergence. Il sait que les gens veulent d'un transport de ce type et qu'il s'agit d'une promesse d'envergure. Il aime donc ça. Il promet le métro en se disant probablement : gagnons d'abord, nous verrons ensuite.

Dès sa réélection, des comités se mettent à concevoir un nouveau projet. C'est à ce moment que Drapeau et Saulnier entrent en vive discussion. Saulnier ne sait plus quoi faire pour convaincre Drapeau d'oublier son projet de train surélevé qui ressemble selon lui à ce qu'on retrouve dans les parcs d'amusement. Il considère qu'une technologie de ce type n'a aucune chance de survie dans le climat de Montréal. Des nouvelles études sont déposées et de nouveau mises sur les tablettes parce que « le politique » ne s'entend pas.

Cette fois, l'argent n'est pas en cause. La possibilité d'emprunt existe. La prospérité est au rendez-vous. Les projets d'investissement public et privé affluent à Montréal. La confiance règne. Non, un seul obstacle subsiste. Il faut convaincre Jean Drapeau de choisir le métro souterrain.

Un jour de la fin de 1960, en plein Conseil municipal, Lucien Saulnier, qui ne sait plus comment rallier son partenaire politique, lui glisse une note manuscrite. Il indique à Drapeau que, dès la fin du Conseil, il prendra l'avion pour Paris afin d'observer *de visu* le monorail, cette invention dont le maire parle tant et qui est en fonction dans la ville. « Si vous voulez venir, vous êtes le bienvenu, écrit-il. Sinon, j'y vais quand même[78]. »

Évidemment, Drapeau prend l'avion et Saulnier marque un grand coup. Après avoir vu de leurs yeux vu le monorail en question, les deux hommes, surtout Drapeau, sont déçus. Il s'agit d'une technologie bancale qui n'aura aucune chance de fonctionner à Montréal. Saisissant la balle au bond, Saulnier propose alors d'aller visiter le métro de Paris. *Eurêka!* Quand Jean Drapeau aperçoit les pneumatiques dont sont dotés les wagons du métro parisien, il jubile. Voilà qui est différent. Voilà qui démarquera Montréal de ces autres villes du monde qui n'offrent que de vulgaires métros sur rail.

Saulnier-Drapeau à leur meilleur

Dès leur retour à Montréal, les deux hommes se mettent au travail. On demande à Claude Robillard de considérer le projet. Cette intégration du service de l'urbanisme au projet est toute à l'honneur de l'administration qui, en ce sens, se présente à l'avant-garde du développement urbain. Accompagné du jeune architecte-urbaniste Guy Legault, qui fera lui aussi sa marque à la Ville, les deux hommes ont une idée supplémentaire. Ils proposent que chaque station soit unique et conçue par des architectes différents. Des artistes en arts visuels signeront aussi de leurs œuvres chacun des débarcadères. Voilà qui enchante M. Drapeau

Le maire aura donc son « plus beau métro du monde ». Les talents d'administrateur de Lucien Saulnier et d'animateur motivateur de Drapeau se révéleront alors au grand jour.

Dans un souci de simplification et d'efficacité, Saulnier crée un Bureau du métro et en confie les rênes à Lucien L'Allier, directeur des travaux publics que l'on considère comme le troisième grand bâtisseur du métro. Il s'associe au très efficace Gérard Gascon et à une foule d'autres collaborateurs. Ils feront de ce projet une grande aventure industrielle, technologique et créatrice. Une réussite du génie québécois[79].

Saulnier va ensuite à Québec avec le maire, dans le but de convaincre Jean Lesage d'amender la Charte de la Ville afin de pouvoir, s'il y a lieu, passer à travers les villes enclavées dans Montréal et d'emprunter les sommes nécessaires à la maîtrise pleine et entière du projet. Grâce aux grands talents de plaideur de Drapeau et au professionnalisme de Saulnier, Montréal obtiendra la permission de toucher aux autres territoires municipaux et pourra emprunter jusqu'à 300 millions de dollars aux États-Unis.

Jean Drapeau fera quant à lui du projet de métro l'épine dorsale de sa vision de développement. À partir de ce moment, on le verra en toutes circonstances, casque de construction sur la tête, descendant dans des trous boueux, au volant d'un wagon de tête, vantant les mérites du métro à venir. Pour lui, l'exposition universelle sera prétexte à l'achèvement du métro dans les délais les plus rapides et à l'ajout de stations. Les projets autoroutiers devront aussi se réaliser rapidement, question de se greffer à cette véritable colonne vertébrale du Montréal moderne et de pouvoir accueillir les millions de visiteurs attendus à l'Expo 67. Les Jeux olympiques seront aussi une occasion de prolongement du métro vers l'est. Drapeau s'appropriera complètement le projet, non seulement pour des raisons politiques, mais aussi pour lui permettre d'augmenter son pouvoir de persuasion, basé sur le prestige lié à la réalisation de ce «grand œuvre». Les travaux débuteront officiellement le 23 mai 1962, rue Berri, et, tout au long des 4 années suivantes, il ne se passera pas un mois sans que la Ville fasse état de l'avancement de l'un ou l'autre des aspects du projet.

Drapeau aura aussi eu le flair d'associer des spécialistes français à la réalisation du métro. L'apport des ingénieurs Gaston et De Roux de la Régie autonome des transports parisiens sera inestimable. Ce ne sera pas la dernière fois que monsieur le maire aura recours au talent de nos cousins, mais pas toujours avec le même bonheur.

Le tracé

Les discussions entourant le tracé définitif ainsi que le nombre de stations de la première phase du projet pourraient suffire à écrire un livre à suspense. La première proposition publique comprend trois lignes dont une en surface qui part de la station McGill, emprunte le tunnel du CN sous le Mont-Royal et se rend jusqu'au nord de la ville. On ne s'entend pas sur cette dernière partie de la proposition. D'abord, elle nécessite un matériel roulant sur fer, incompatible avec le projet sur pneus. Et puis, bien que Montréal ait la permission de passer en «territoire ennemi», les villes de Mont-Royal, Outremont et Saint-Laurent ne veulent rien savoir de Montréal qui n'entend pas payer d'impôts pour le passage. Cette ligne ne verra jamais le jour.

Seules les villes de Westmount (station Atwater) et de Longueuil (station du même nom qui sera construite à cause de l'exposition universelle) seront touchées par la première phase de construction du métro. Et elles défrayeront les coûts de construction de leurs stations. Il s'agit donc d'un projet montréalo-montréalais comme les aime Jean Drapeau.

Plus encore, fidèle à sa pensée, Jean Drapeau s'organisa pour que le point principal d'interconnexion du réseau soit situé à l'est de boulevard Saint-Laurent alors que, selon une logique certaine, il aurait dû se situer au centre-ville. De ce fait, il donnera un autre coup de pouce au Montréal français et à sa conception d'un point central de la ville se situant au coin des rues Saint-Denis et Sainte-Catherine.

Dès lors, on se concentre sur les lignes A et B qui sont nord-sud et est-ouest. Le projet est estimé à 132 millions de dollars. En avril 1962, Montréal attribue le premier contrat du métro pour la construction d'un premier tunnel. La Ville s'attend à débourser environ 5 millions de dollars. Mais l'offre du plus bas soumissionnaire est de 1 834 000 $! La compétition féroce qui existe entre les différents entrepreneurs explique cet écart positif et s'avère fort utile. Elle permettra à la Ville d'étendre tout de suite son réseau puisque les estimations, fait rarissime, ont été trop généreuses.

Sur pneus

Il existe encore de nos jours des gens pour dire que le choix d'un métro sur pneus était une erreur pour Montréal. La raison principale d'opposition à cette technologie tient au fait que ce genre de matériel roulant ne peut sortir de terre dans une région comme le Québec. Impossible, donc, de se raccorder à des réseaux ferroviaires existants. De plus, cette technologie condamne à creuser encore et encore, à des coûts très élevés.

Mais il en est d'autres pour appuyer le choix de Drapeau et Saulnier, et pour affirmer qu'il ne s'agissait pas d'un caprice de mégalomane. Au-delà du fait que les voitures sur pneus sont moins bruyantes, en voici les principaux avantages : elles sont plus petites et nécessitent donc des tunnels moins larges. Si elles sont plus petites, elles transportent moins de gens, diront les détracteurs. Mais voilà : elles vont plus vite ! Ce désavantage est donc compensé puisqu'un plus grand nombre de convois circulent. Et puis les voitures sur pneumatiques peuvent se permettre d'emprunter des pentes beaucoup plus importantes que les voitures sur rail. « En conséquence, le profil de la voie à Montréal qui a été conçue en " cuvette " partout où cela a été possible présente une pente descendante de 6 % en sortie de station et une pente ascendante équivalente à l'entrée de la station suivante. Il en résulte donc une économie d'énergie au départ, puisque les moteurs sont assistés par la gravité pour accélérer, et une réduction de l'usure des freins à l'arrivée, car la gravité, agissant cette fois en sens inverse, assiste le freinage[80]. » Et voilà pour la partie technologique.

La plus grande réussite de Jean Drapeau ?

Le 14 octobre 1966, après de multiples péripéties et accidents qui causèrent 12 décès, le réseau de 26 stations étalées sur 22 kilomètres et construit au coût final de 213 millions de dollars entrait en fonction à peine 2 semaines avant l'élection municipale. Les budgets avaient été respectés et il s'agissait des coûts les plus bas jamais enregistrés pour la construction d'un métro souterrain. Il fut complété juste à temps pour l'Expo 67. Montréal devenait la septième ville d'Amérique du Nord à se doter d'un métro. Il en existe aujourd'hui 21, dont plusieurs dans des villes plus petites que Montréal, comme Edmonton ou Baltimore, et une centaine dans le monde.

Le projet qui se réalisa sans grande opposition permit la création de quelque 5000 emplois directs. À elle seule, la Canadian Vickers de Montréal reçut des contrats de 45 millions de dollars pour la construction des wagons. (*En 1974, Bombardier obtint le contrat de construction de 423 nouvelles voitures au coût de 117 millions de dollars. Ce fut le début de la division transport de cette grande société.*) Le projet permit aussi à des créateurs importants comme Jacques Guillon, le designer des wagons et du logo, et à des artistes comme Marcelle Ferron, Frédéric Back, Charles Daudelin, Jean-Paul Mousseau, Bernard Chaudron et combien d'autres de se distinguer.

Le projet profita également au commerce, au secteur immobilier et à l'ensemble du monde des affaires de Montréal, sans compter les effets bénéfiques qu'il eut sur l'ensemble de la population qui avait maintenant accès à un moyen de transport efficace, somme toute économique et acceptable d'un point de vue environnemental.

À partir des années 1970, le projet continua de se développer pour inclure jusqu'à 65 stations en 2008. Malheureusement, comme c'est souvent le cas, les choses devinrent plus compliquées au fur et à mesure que le projet grandissait. Le monde du transport en commun allait être secoué comme tous les autres par les grandes grèves qui eurent lieu dans les services publics, particulièrement dans les années 1970. Les coûts de prolongement explosèrent et le transport en commun vécut de multiples crises financières. Au fur et à mesure que le métro commença à devenir un équipement résolument métropolitain, le gouvernement du Québec y joua un rôle de plus en plus actif. Certains prétendent qu'étant donné sa fonction de nature structurante c'est le métro qui força la création de la Communauté urbaine de Montréal, à laquelle Jean Drapeau n'a jamais vraiment cru même s'il en devint le premier président en 1970.

« Une fois la première phase complétée, Jean Drapeau commença à se désintéresser du projet du métro, se souvient Lawrence Hannigan qui fut conseiller municipal du Parti civique, membre de l'Exécutif et président de la CTCUM (aujourd'hui STM) dans les années 1970. La première phase avait surtout bénéficié à Montréal. Et de ça, il était content. Par la suite, il ne s'intéressa au projet que quand vint le temps de construire une station qui se connecterait (sic) au Stade olympique. Pour le reste, il était passé à autre chose. »

Cela dit, pour M. Hannigan, il s'agit indubitablement de la grande réussite de Jean Drapeau. « Personne d'autre que lui, une fois convaincu, n'avait le dynamisme, le réseau, la puissance et le pouvoir nécessaire à la réussite du projet. D'ailleurs, personne n'avait réussi en plus de 50 ans. Et il l'a fait avec Saulnier, à très bon coût. »

« Cinquante ans de patience, de projets d'études. Cinquante ans d'espoir. Voilà qu'enfin c'est chose faite. Il est donc tout naturel qu'en cet instant ma pensée se porte d'abord vers nous tous, résidents de cette grande ville, afin que nous nous félicitions mutuellement de posséder un tel réseau de transport en commun. Nous l'avons bien mérité. » Voilà ce que dit Jean Drapeau aux 5000 invités réunis à la station Berri-de Montigny le 16 octobre 1966 pour l'ouverture officielle du métro. Il ne resta plus au cardinal Léger qu'à asperger d'eau bénite les premières voitures sur pneus, et, aux citoyens, qu'à aller fêter au parc Lafontaine en assistant au plus important feu d'artifice jamais produit à Montréal, une commandite de *La Presse*.

CHAPITRE 8

BEAUCOUP DE TERRE POUR LES HOMMES

1963. Drapeau et Saulnier foncent sans relâche, avec toutefois une ombre au tableau de leurs réussites. Au cours de l'année apparaît à Montréal le Front de libération du Québec, qui sera actif de façon irrégulière jusqu'à la crise d'octobre en 1970. (*Trois cents bombes seront déposées dans la région de Montréal durant ces années.*) Jamais la ville n'a eu à faire face à un groupe de la sorte, qui sème l'émoi en s'attaquant au capital et aux «Anglais». Jean Drapeau a l'habitude de la pègre et du genre de violence qui s'apparente au crime organisé. Mais pour lui, l'activisme révolutionnaire est un problème d'un tout autre ordre, tout aussi sérieux. Lui qui a frayé avec l'extrémisme du temps de sa jeunesse n'est jamais allé jusqu'à considérer l'insurrection comme un moyen d'action. Plus encore, depuis quelques années, ses voyages en Europe l'amènent à reconsidérer toute forme de radicalisme. Le FLQ sera pour lui une racine du mal qu'il faudra éradiquer. Et l'occasion de le faire se présentera quelques années plus tard. Il en va de sa réputation d'homme de loi et d'ordre qui n'hésite pas à pratiquer la censure quand il en sent le besoin, d'autant plus que monsieur le maire veut offrir sa ville à l'univers.

À partir de 1963, l'exposition universelle de Montréal occupe une grande partie de l'agenda politique et administratif. C'est au maire Sarto Fournier que l'on doit la première initiative formelle visant à tenir une exposition universelle à Montréal en 1967. En 1958, le sénateur Mark Drouin, à l'exposition de Bruxelles, avait lancé l'idée d'en tenir une à Montréal, à l'occasion du centenaire de la Confédération canadienne.

Fournier, emballé, fit alors voter une résolution du Conseil municipal demandant au Comité exécutif d'entreprendre les démarches nécessaires à sa tenue. Il rassembla ensuite en comité tout un contingent de personnes influentes qui alla convaincre le premier ministre John Diefenbaker du bien-fondé de tenir l'exposition à Montréal. Une des principales raisons invoquées pour choisir Montréal plutôt que Toronto, qui se propose elle aussi, tient au fait que la métropole québécoise est le terminus des grandes lignes internationales d'aviation.

En mai 1960, le gouvernement canadien, qui a accepté de fournir 20 millions de dollars au projet dans la mesure où Québec verse 15 millions et Montréal 5 millions, présente la candidature québécoise au Bureau international des expositions (BIE) à Paris. Vienne et Moscou sont aussi sur les rangs. Malheureusement, après que Vienne s'est désistée, l'exposition de 1967 est accordée à Moscou par un seul vote. La délégation canadienne qui croit que les dés ont été pipés est effondrée. Mais, mince consolation, on murmure que Moscou va se dégonfler.

Déjà à cette époque se trouvent de nombreux détracteurs de ce type d'événements, dont on dit qu'ils deviennent de plus en plus ringards et sans originalité. L'affaire est donc mise de côté, et les aspirations canadiennes disparaissent. C'est compter sans Jean Drapeau qui considère en silence ce projet en haute estime et entend bien le reprendre à sa manière, dès qu'il en aura la chance.

Deux ans plus tard, coup de théâtre : l'occasion qu'attendait Drapeau se présente. Moscou se désiste comme prévu et l'opportuniste Jean Drapeau, revenu à la mairie, ne laissera pas passer sa chance. Son incroyable capacité de conviction va être mise à contribution comme jamais auparavant dans sa carrière.

Aidé par des amis français, Drapeau ne perdra pas une minute pour se conformer aux nouvelles exigences du BIE. Par l'entremise du ministre fédéral Pierre Sévigny, il convaincra facilement Jean Lesage de s'associer de nouveau au projet, cette fois à hauteur de 50 %. Il se rendra aussi plusieurs fois à Ottawa pour rallier à sa cause Diefenbaker, qui se laissera convaincre par cet irrésistible Drapeau.

Il formera ensuite une petite équipe pour voir à la préparation du dossier de candidature. Claude Robillard et Lucien Saulnier en font partie. C'est dans ce cadre que Robillard proposera d'utiliser le titre de l'ouvrage de Saint-Exupéry, *Terre des Hommes,* comme thématique de l'exposition.

En bon avocat, il travaille sans arrêt entre mai et novembre, de façon extrêmement minutieuse comme dans sa jeunesse, à la préparation du document de présentation.

Le 13 novembre 1962, Montréal, maintenant seul en lice et s'étant conformé parfaitement aux demandes de Paris, obtient l'exposition de 1967. Au dire du maire, ce sera un véritable feu roulant, et ceux qui croient que les expositions universelles sont devenues des manifestations de deuxième ordre vont déchanter. Dès l'annonce de l'obtention de l'exposition, dans un geste symbolique et spectaculaire, Drapeau plante un érable,

Place du Canada à Paris, pour marquer le coup d'envoi des préparatifs. À son retour à Montréal, il sera accueilli en héros à l'aéroport.

Vient ensuite le moment de nommer un commissaire chargé d'organiser l'événement au nom du gouvernement fédéral. On songe à Drapeau lui-même, mais il s'y refuse, préférant rester en fonction. Diefenbaker qui aime mieux, de toute façon, ne pas trop donner de place à Drapeau qui a tendance à tirer la couverture à lui-même, tient à ce que le Canada soit en vedette. Il choisit alors Paul Bienvenue, un sympathisant conservateur, homme d'affaires en vue de Montréal. C'est une erreur. Au bout de six mois, M. Bienvenue se retirera, submergé par la tâche.

On commence à s'inquiéter. Va-t-on être capable de livrer la marchandise ? Les coûts de l'exposition, d'abord estimés à 40 millions de dollars, explosent. On croit que le projet va coûter au moins cinq fois ce prix. Au total, ce sera plus de 10 fois le coût annoncé au moment du dépôt de la candidature. C'est sans compter tous les coûts d'infrastructures afférents qui élèveront la facture à plus d'un milliard de dollars. Dans ce dernier cas, on peut toutefois estimer qu'il s'agit en bonne partie d'investissements qu'il aurait fallu considérer à un moment ou à un autre.

Une fois Bienvenue retiré, Jean Drapeau, qui a déjà trouvé son homme et s'est assuré de sa réponse, propose l'ambassadeur du Canada à Paris, Pierre Dupuy. On sourcille à son nom. Après tout, M. Dupuy a 70 ans. Comme dans plusieurs cas au cours de la carrière politique, Jean Drapeau aura choisi la bonne personne au bon moment. L'homme est d'un autre temps, mais ses relations internationales sont encore solides. Appelons ça un coup de clairvoyance. Dupuy, grâce à ses contacts et à ses nombreux déplacements, amènera 62 pays de tous les continents à participer à l'exposition. Il sera assisté de Robert Shaw, un ingénieur d'expérience qui verra pour sa part à l'avancement des travaux, ainsi que d'Edward Churchill, un militaire à la retraite qui sera chargé des installations. Ces trois hommes compteront pour beaucoup dans la réussite du projet.

Dans le cas d'Expo 67 comme dans celui du métro, Jean Drapeau réalise son projet en équipe. Et dans le cas particulier de l'exposition universelle, son travail est encadré, à son grand dam, par les deux paliers de gouvernement, surtout le fédéral. Ils ont peine à contenir les ardeurs du maire développeur en quête de grandiose.

À l'hôtel de ville, on ne chôme pas. À tel point que Jean Drapeau est vertement critiqué quand il fait adopter par le Conseil municipal des dizaines de résolutions relatives à l'événement sans explication ni débat. Les propositions sont lues, viennent ensuite les silences, et puis Jean Drapeau marmonne : « Adopté ». Et on passe au sujet suivant. C'est la démocratie à la Drapeau. Quand on trouve qu'il exagère, ce dernier répond aux critiques : « J'estime que ce qui est dangereux pour le système démocratique, c'est lorsque la marche du progrès est entravée par la perte de temps occasionnée par les insultes et les manœuvres de politiciens sans envergure[81]. » Et vlan !

Le site

Concurremment à l'important changement de garde entre Bienvenue et Dupuy, jeu de chaises musicales comme en en voit si souvent lors d'organisation de grands événements[82], se pose la question cruciale du choix du site de l'exposition. Il faut au moins 500 acres pour tenir l'exposition.

L'ardeur au travail de Drapeau et Saulnier à ce chapitre comme à tous les autres supplante facilement celle du gouvernement fédéral. Petit à petit, l'exposition qui devait être celle du centenaire de la Confédération devient celle de Montréal. Drapeau et Montréal prennent toute la place. Des gens « nommés » par lui, comme Philippe de Gaspé Beaubien à l'exploitation, Pierre de Bellefeuille à l'international, Pierre Bourque à l'aménagement, Yves Jasmin et Roger D. Landry aux communications pour ne nommer que ceux-là, qui laisseront tous leur marque par la suite, feront en sorte, par les différents rôles importants qu'ils joueront, que les Montréalais francophones appuient plus que quiconque ce projet d'envergure.

Entre la formation des équipes de travail, les demandes aux gouvernements pour les nombreuses améliorations au réseau routier et la mise en place de tous les systèmes permettant d'accueillir plus de 30 millions de visiteurs attendus, Drapeau et Saulnier ont l'obligation de proposer un emplacement pour Expo 67-Terre des Hommes, nom officiel donné à l'exposition, qui d'ailleurs ne fera pas l'unanimité.

Plusieurs possibilités s'offrent pour l'emplacement. On pense sérieusement à la Pointe Saint-Charles située au sud-ouest de la ville et qui donne sur le fleuve. Le choix de ce site aurait l'avantage de revitaliser ce coin de la ville très délabré. C'est d'ailleurs la recommandation, à l'époque, du service d'urbanisme de Montréal. Mais justement, l'image du délabrement ne plaît pas à monsieur le maire qui ira jusqu'à faire ériger, au moment de l'exposition, des palissades bleues et blanches autour des quartiers pauvres de façon à ce qu'ils ne soient pas remarqués par les visiteurs. D'autres endroits sont aussi considérés dont le parc Maisonneuve et un site à LaSalle.

Selon l'urbaniste Guy Legault, plus de 30 sites furent envisagés en 1963.

Et puis un jour, Jean Drapeau est en bateau sur le fleuve avec le directeur du port de Montréal, Guy Beaudet. Ce dernier lui suggère d'aménager un site au beau milieu du fleuve à partir des îles existantes, dont la principale est bien sûr l'île Sainte-Hélène. L'idée n'est pas nouvelle. On a déjà pensé à les aménager à la fin du XIXᵉ siècle ainsi qu'au moment de la crise des années 1930, de façon à donner de l'emploi aux travailleurs.

Jean Drapeau a trouvé son carburant. Peu importe les critiques et les avertissements, il devient un farouche promoteur de cette option. C'est une constante chez Drapeau. Il a besoin de se démarquer. Dans le cas du métro, on peut penser aux pneumatiques ou au concept de stations différentes les unes des autres. Dans le cas des Jeux olympiques, on pense bien sûr au stade unique de l'architecte Taillibert.

Qu'on se le tienne pour dit, pour Jean Drapeau, l'exposition aura lieu au milieu du fleuve. Le maire convaincra tout le monde, y compris le nouveau premier ministre canadien Lester B. Pearson qui sera tellement impressionné par la présentation-spectacle du maire de Montréal, déroulant au sol les plans de l'exposition devenue balnéaire, qu'il en fera état dans ses mémoires.

« Il fallut user de ruse pour ne pas que le projet s'ébruite. Finalement, avec beaucoup de discrétion, le projet a été mis de l'avant », se souvient Jean Drapeau, parlant du choix des îles. « Le secret de la réussite, c'est la discrétion. Il faut que le fruit soit mûr pour être juteux, à point. Annoncer un projet trop rapidement, c'est accepter à l'avance qu'il soit contesté parce que mal compris. Il faut d'abord le mener à terme, l'exposer clairement et le défendre avec vigueur[83]. »

En 1963 et 1964, en un an à peine de prouesses architecturales, d'ingénierie et de construction, on sortira de l'eau suffisamment de terrain pour y installer les 850 pavillons et bâtiments qui seront nécessaires à la tenue de l'exposition. La légende veut que ce soit le roc et la terre enlevés pour le creusage des tunnels du métro qui ait servi à l'aménagement des îles. Or, selon Guy Legault, ces matériaux ne comptèrent que pour une infime partie. Il fallut pomper de la terre du fond du fleuve, faire des lacs un peu partout dans les îles pour économiser du terrain et faire venir plus de 8 millions de tonnes de roc et de terre de la Rive-Sud pour compléter les travaux. Tout cela à des coûts astronomiques et avec des méthodes qui seraient jugées inacceptables de nos jours, d'un point de vue environnemental.

Est-ce que le grand succès d'Expo 67 tint au fait qu'elle était située dans des îles ? Probablement en partie. Cela ajouta certainement à la magie de l'événement. Mais à quel prix ? Guy Legault affirme : « Ce qu'on sait, c'est que le choix du site d'Expo 67 dans le fleuve a été une coûteuse improvisation, sans référence à un dossier technique valable. La méthode de plaidoirie à outrance a occulté les considérations de bon sens. Le même procédé conduira à la catastrophe dans le dossier olympique[84]. »

Jugement amer d'un homme que l'on n'a pas écouté suffisamment ? Il n'est pas le seul à penser que M. Drapeau a coûté cher à Montréal à bien des égards. Une matière à réflexion pour tous ceux qui espèrent depuis son départ l'arrivée à Montréal d'un autre grand développeur de son type, qui redonnera à la ville son dynamisme et sa grandeur des années 1960.

La tour Eiffel et une autre

Comme si le choix de s'installer au milieu du fleuve n'était pas suffisant pour se démarquer, Jean Drapeau annonce le 10 décembre 1964 qu'un monument réalisé conjointement par Montréal et Paris, dépassant la tour Eiffel, sera construit sur le site d'Expo 67 afin de rappeler la mémoire des fondateurs de Ville-Marie.

Il s'agit d'une tour inclinée en béton précontraint (cela vous rappelle-t-il quelque chose?) constituée de 2 fines aiguilles adossées, s'élançant dans le ciel à une hauteur de plus de 1100 pieds. Il en fait l'annonce selon un scénario cucul et faussement dramatique devant le Conseil municipal, accompagné de Lucien Saulnier qui indique que le coût du projet de 22 millions de dollars sera défrayé par Paris et Montréal à partir d'un emprunt « qui sera remboursé facilement par les retombées touristiques que va générer le projet[85]. »

Le président Saulnier n'est pas enchanté par l'idée trop dispendieuse, mais n'arrive pas à contenir le maire qui rêve d'une tour pour Montréal depuis très longtemps. Drapeau a déjà demandé à Claude Robillard de mener l'étude de faisabilité d'une tour sur le mont Royal, avec un téléphérique amenant les gens au centre-ville. Il caresse le projet d'une tour au point qu'il a même déjà eu l'idée, avec son ami Robert Lapalme, de déboulonner la tour Eiffel, de la transporter à Montréal et de la remonter sur le site de l'Expo 67 pour la durée de l'événement. Cet « éclair de génie » de nature temporaire et totalement excentrique fera l'objet de discussions bien réelles avec la Ville de Paris. L'idée sera abandonnée rapidement quand on comprendra que la tour n'est pas que boulonnée, mais aussi fortement soudée.

Comme nous le savons maintenant, il n'y aura jamais de tour dans les îles. Six mois après son annonce, le projet qui supposément était mûr sera abandonné, étant jugé beaucoup trop cher à réaliser. On apprendra aussi que le sol de l'endroit choisi (pointe nord-est de l'île Sainte-Hélène) pour l'ériger n'était pas suffisamment solide. Ce ne sera que partie remise pour le maire qui sera extrêmement déçu par la tournure des événements. Lui qui avait pourtant fait de nombreux voyages toujours confidentiels à Paris, sans même en avertir le Commissariat de l'exposition, pour voir au développement de cette nouvelle idée, en restera bredouille.

Il devra plutôt se contenter d'un autre genre de signature qu'il aime plus ou moins mais dont il se fera néanmoins le promoteur : Habitat 67, conçu par un jeune architecte, Moshe Safdie, grâce à la contribution de la Société canadienne d'hypothèques et de logement (SCHL) qui agit au nom du gouvernement fédéral de façon à laisser un héritage permanent à Montréal. Ce concept inusité d'habitation urbaine, qui deviendra une véritable attraction, traversera les générations pour être classé bâtiment patrimonial en 2009 par le gouvernement du Québec.

L'événement

Dès le 27 avril, jour de son ouverture officielle, jusqu'à sa fermeture le 29 octobre, Expo 67 sera un immense succès salué partout dans le monde. Mis à part une grève des transports en commun et les problèmes de logement de nombreux visiteurs, Montréal prouvera qu'il sait faire les choses. Cinquante millions de visiteurs en 6 mois, un festival culturel de très grande envergure, une fête de l'architecture, du design, de la mode, Terre des Hommes sera l'une des plus grandes expositions universelles jamais organisée, inégalée depuis. Une occasion d'expérimentation à tous égards, qui sera saluée par la presse internationale. Elle permettra aux Québécois de sortir définitivement de la grande noirceur. Découvrir les coutumes, les inventions, les cuisines, les grandes réalisations du monde entier changera les citoyens du Québec à jamais. Combien de gens munis de leur passeport s'assureront de le faire estampiller de·façon à ce que les pages soient totalement remplies ? Combien d'heures à faire la file devant le pavillon de la Russie, de la Tchécoslovaquie, des États-Unis ou devant l'un ou l'autre des pavillons thématiques ? Combien de tours en balade, en monorail ou à bord de l'Expo Express et combien de manèges à la Ronde ?

L'historien Robert Rumilly, lui, n'en reviendra pas. Voici comment il décide de terminer, à sa manière ampoulée, son « histoire de Montréal » en 1967 : « Je monte, le soir, à l'Altitude 737, le restaurant de luxe au sommet de la Place Ville Marie, d'où l'on découvre tout Montréal, sauf la partie nord masquée par le mont Royal. Il y a là des Américains, des diplomates russes, des Indiens en turban avec leurs femmes en sari, des observateurs japonais, à lunettes cerclées d'or, qui préparent l'exposition d'Osaka. La vaste étendue de Montréal rend le scintillement des lumières plus impressionnant. Les dîneurs se font nommer les ponts qui enjambent le Saint-Laurent. Mais l'Expo surtout, diamant gigantesque d'où mille feux rayonnent, rive les regards. On cherche à reconnaître, autour de l'étonnante sphère américaine, les pavillons visités dans la journée, les pavillons si divers, si colorés, si pittoresques, si fascinants, qui ont fait de Montréal, cette année, la capitale de la planète, la Terre des Hommes par excellence. Et je pense à vous, Jérôme Le Royer de La Dauversière, qui demandiez à votre confesseur, le père François Chauveau, si votre inspiration de fonder une colonie sur l'île de Montréal venait de Dieu et s'il fallait y obéir ; et le jésuite vous répondait : " N'en doutez pas, Monsieur, employez-vous-y tout de suite "[86]. »

L'ouverture sur le monde en héritage

Expo 67 permettra non seulement à Montréal de rayonner dans le monde, mais aussi à Jean Drapeau d'acquérir une réputation internationale. À partir de 1967, il sera reçu, accueilli et considéré par les plus grands. Il s'approchera de leurs cercles comme jamais le maire d'une ville n'aura su le faire.

Certains pourront même profiter de ses bons conseils, comme l'ex-premier ministre britannique Edward Heath qui un jour raconta : « J'ai eu le privilège d'entendre les confidences privées du maire Drapeau sur la façon de prendre et de garder le pouvoir en manipulant amis et ennemis à la fois. C'est une des conversations les plus drôles et les plus distrayantes que j'aie jamais eues avec un politicien[87]. »

C'est au tournant de 1967 qu'on affublera Drapeau du surnom de « maire à la valise », soulignant ainsi son goût prononcé pour les voyages qu'il entreprendra toujours, cela dit, pour servir Montréal, jamais pour lui-même.

Mis à part l'énorme déficit que l'exposition engendrera et qui aura des impacts néfastes réels sur les finances municipales pendant plusieurs années, ses retombées, autres que sociales et de visibilité, seront mitigées. Un parc d'amusement, La Ronde, cédé au secteur privé qui aura de la difficulté à rester à la page, une compétition internationale annuelle de feux d'artifice, un pavillon de la France qui deviendra lieu d'expositions (Le Palais de la civilisation) et ensuite un casino (intégrant le pavillon du Québec situé à côté), le pavillon des États-Unis qui deviendra après moult tentatives un centre d'interprétation environnementale, quelques grandes œuvres d'art dont l'*Homme* du sculpteur Calder, un lieu de spectacles en plein air, une plage que l'on surnomme la plage Doré du nom du maire qui a rendu son eau « baignable », un parc (le parc Jean-Drapeau) plus ou moins bien conçu sur l'île Notre-Dame qui accueillera, en plus du Grand Prix automobile du Canada pendant 30 ans, les Floralies en 1980, laissant de beaux jardins permanents et, bien sûr, un très important lien souterrain par métro avec la Rive-Sud. Tout cela pour le plaisir des Montréalais et des visiteurs, à un coût très important pour les contribuables.

Dès la fin de 1967, Jean Drapeau voulut que l'aventure se poursuive et que Terre des Hommes devienne une attraction permanente. Avec le recul, cela peut apparaître comme la lubie d'un homme qui voyait sa ville beaucoup trop grande. Mais sans parler d'attraction touristique internationale permanente, force est de constater que l'activité subsiste encore dans les îles.

Au moment de la rédaction de ce livre, on annonçait un investissement de 20 millions de dollars strictement pour entretenir minimalement les infrastructures publiques des îles. Des sommes semblables devraient être considérées annuellement à partir de 2010 pour faire en sorte, tout simplement, que les choses ne dégénèrent pas.

Expo 67-Terre des Hommes aura-t-elle été structurante pour Montréal ? Aux économistes et autres spécialistes de la question de répondre. Mais est-ce qu'ils peuvent mesurer l'importance et la valeur qu'elle aura eue dans ce qu'il est convenu d'appeler l'inconscient collectif ? Ce legs de confiance qui a fait que tant de Québécois ont pu, à partir de là, agir sur la scène internationale et bâtir ici même des entreprises admirées de toute la planète ?

Jean Drapeau, lui, n'en a jamais douté. Mais avec l'Expo, il entre dans la démesure. Ce succès qui occulte la véritable situation de Montréal fera de lui un développeur dangereux.

Chapitre 9

Pour une quatrième fois

Le dimanche 23 octobre 1966, Jean Drapeau avait été facilement reporté au pouvoir, raflant 95 % des votes à la mairie. Le Parti civique est élu partout (souvent par acclamation), sauf pour de rares exceptions dans le sud-ouest de la ville. Mais monsieur le maire pourra compter sur un nouveau venu de ce coin au sein de son équipe. Yvon Lamarre s'amène avec la ferme intention de s'attaquer à la question du logement dans Saint-Henri et la Petite-Bourgogne.

En contrôle total de son appareil politique, Drapeau fait peu de cas de ce qui se passe au Conseil municipal, qui devient un simulacre d'assemblée délibérante. Si cela est facile durant cette période, il en sera tout autrement au cours de la décennie suivante. C'est à ce moment que son image « d'autocrate » se cristallisera.

À partir de juin, Drapeau et Saulnier avaient dû composer avec un nouveau premier ministre à Québec, Daniel Johnson, qui causa toute une surprise en défaisant Jean Lesage qui ne s'en remettait pas. Mais la « nouvelle » Union nationale de Johnson avait annoncé qu'elle considérait Montréal en haute priorité.

Avec un métro en fonction depuis le 14 octobre, l'année qui s'acheva servit surtout à mettre la dernière main à l'exposition universelle. « C'est l'événement du siècle, le plus grand moteur économique après une guerre mondiale, qui est toujours à condamner », dit le maire devant la Chambre de commerce de Québec.

Au quotidien

Depuis qu'il est rentré à l'hôtel de ville en 1960, Jean Drapeau a pris ses aises. Demeuré travailleur infatigable, il est là tôt le matin jusqu'à tard dans la soirée. Son personnel, dont ses fidèles alliés Aline Dufresne au secrétariat, Guy Piché, son chauffeur et ami d'enfance, et Charles Roy, à la fois chef de cabinet et de protocole, sont à son entière disponibilité. M. Roy, avocat, ex-journaliste et homme de grande culture, sera l'un des plus importants conseillers du maire tout au long de sa carrière.

Faisant la navette entre sa maison de l'avenue des Plaines, son bureau personnel de la rue Sherbrooke et celui de l'hôtel de ville, le maire va de réunion en rencontre, en marchant toujours rapidement, ne s'arrêtant pratiquement jamais, même pas pour manger. Le matin, un verre d'eau chaude suffit. Comme il est là avant tout le monde, il lui arrive de faire le café pour ses employés. À midi, s'il n'est pas en « représentation », on lui prépare un sandwich à la petite cuisine du premier étage qui sert pour les réceptions. De temps en temps, M. Drapeau envoie son chauffeur lui chercher des hot dogs du Montreal Pool Room, dont il raffole. Mais M. Piché doit agir avec discrétion. L'ex-procureur de la Commission Caron ne voudrait pas que l'on sache qu'il s'approvisionne sur la *Main*, en plein cœur de ce qui fut le Red Light.

Le soir vers 23 heures, M. Drapeau fréquente quelques restaurants. Amateur de gastronomie, il lui arrive aussi de faire la cuisine à son bureau de la rue Sherbrooke, reprenant quelques conseils et recettes que de grands chefs lui ont donnés. Et puis, après 5 heures de sommeil, il est de retour à l'hôtel de ville vers 6 h 30.

C'est au cours de cette période qu'il met en place deux pratiques bien réelles qui le feront entrer dans la légende. Régulièrement, qu'il soit au volant de sa propre voiture (pendant plusieurs années, une énorme Lincoln Continental noire) ou avec son chauffeur, il sillonne les rues d'un coin de la ville en prenant des notes. Une signalisation défectueuse, une poubelle renversée, un trou dans la rue, tout cela est pris en considération par monsieur le maire qui, en arrivant à l'hôtel de ville, en fait part à qui de droit dans l'administration publique. Lorsqu'on lui offre des tribunes régulières à la radio et à la télévision (*M. Drapeau participera à plusieurs exercices de ce genre au cours de sa carrière, la plupart du temps lors de tribunes téléphoniques ouvertes aux citoyens*), il prend bien soin de mentionner qu'il se prête à cet exercice. Cela lui permet de corriger l'idée qu'il ne s'occupe que des grands projets.

L'autre habitude qu'il prend est celle de répondre personnellement à tout son courrier. Ce travail qui, dans les faits, sera effectué en grande partie par d'autres mais auquel il participera en lisant souvent les réponses et en signant toutes ses lettres, comprendra des dizaines de milliers d'envois par année. Son secrétaire de l'époque, Paul Leduc, considère que cette pratique était exagérée et lui faisait perdre un temps fou. Mais elle créera un sentiment de proximité avec la population.

Jean Drapeau était-il un génie des relations publiques? À bien des égards, oui. En tout cas, il en eut la discipline et l'instinct, non seulement dans le développement de ces pratiques, mais dans le choix qu'il fera de ne se prêter au jeu public que lorsqu'il le jugeait nécessaire et en choisissant les bons moments et les bons sujets.

Parfaitement conscient de l'importance des jeux d'image, il collabore à sa façon avec les médias. « Souvent, il appelait lui-même les caricaturistes pour leur soumettre des idées[88] », se souvient Monique Gadoury qui fut sa secrétaire pendant 16 ans.

Au cours des années 1960, il se développera aussi, à même ses grands projets, un réseau personnel d'alliances nationales et internationales qui fera pâlir d'envie toute la classe politique.

Lorsqu'on interroge les gens qui ont connu Jean Drapeau de près, tous s'accordent à dire que, contrairement au caractère autoritaire, dictatorial et froid qu'il pouvait afficher en certaines circonstances, ils avaient affaire à un homme simple qui, même érudit, n'avait rien perdu de ses origines modestes. Cet ego démesuré dont on a beaucoup parlé restait au vestiaire la plupart du temps quand il était avec ses collaborateurs réguliers.

Sa préoccupation pour la forme, le protocole et le luxe n'était pas, semble-t-il, issue de sa nature profonde, mais bien d'un désir irrépressible qu'il avait d'arriver à ses fins, peu importe le moyen.

Jean Drapeau ne sera pas pédant ou m'as-tu-vu. Jamais il ne se servit de la cour des grands pour lui-même. Certains disent même que s'il avait pu se passer de tous les salamalecs et autres obligations du genre, il l'aurait fait.

Dans ses relations personnelles d'ordre professionnel, il exigeait qu'on le traite avec respect et faisait de même avec les autres. « Quand il demandait quelque chose, il fallait le lui donner. Mais ce n'était jamais fait avec condescendance ou avec supériorité », se souvient Diane Lapenna qui fut à son service à la fin de sa carrière. Bien sûr, il avait certaines habitudes qu'il fallait admettre, comme celle de tout collectionner et de tout ramasser, mais même lorsqu'il accusait certains caprices, il n'était jamais déplacé, sauf peut-être au moment de ses colères, plus rares qu'on pourrait le croire. Souvent enjoué, taquin, jamais vulgaire, toujours mesuré en matière de consommation d'alcool et avec la gent féminine devant laquelle il affichait une forme de gêne galante, il était parfaitement équipé pour passer autant d'années au pouvoir sans que son image privée en souffre trop.

Lorsqu'on collige l'ensemble des commentaires et observations de cet ordre à son sujet, on pourrait penser à associer Jean Drapeau à ces bons curés d'une autre époque, autoritaires au premier chef, juste assez extrovertis, capables de patiner en soutane, de s'amuser, mais avec qui on savait aller juste assez loin, car, au bout du compte, ils étaient en mission divine.

C'est au cours de ces années qu'on apprit à respecter Jean Drapeau, l'homme. Avant tout à cause de la discipline personnelle qu'il s'imposait. Et il lui en fallut beaucoup de 1967 à 1970.

Grandeurs et misères de la vie de maire

« Et c'est à Montréal qu'il faut que je le dise, parce que s'il y a au monde une ville exemplaire par ses réussites modernes, c'est la vôtre. Je dis : c'est la vôtre, et je m'empresse d'ajouter c'est la nôtre. [...] Vive le Québec libre ! » s'exclame le président de la France, le général de Gaulle. Jean Drapeau, comme beaucoup d'autres, ne s'y attendait pas. Lui qui avait participé aux préparatifs entourant sa visite symbolique pour tous les francophones et qui se réjouissait de son passage à l'hôtel de ville déchante quand il constate l'onde de choc que cause cette déclaration faite à partir de son balcon[89].

Nous sommes en plein cœur du succès incroyable d'Expo 67. C'est d'ailleurs pour cette raison principale que le généralissime est au Québec. De nombreux chefs d'État sont invités par le gouvernement canadien à cette occasion. Le héros de guerre vient participer à la journée nationale de la France et visiter son pavillon en même temps qu'un métro qui ressemble à celui de Paris. Il doit ensuite se rendre à Ottawa. Ce soir-là, sait-il qu'il vient d'utiliser le slogan des indépendantistes purs et durs ? Se doute-t-il que son cri fait écho au FLQ, qui gronde depuis quatre ans ?

Jean Drapeau, qu'on le veuille ou non, se retrouve en plein cœur d'un incident diplomatique qui pourrait venir bousiller le succès immense que remporte son exposition. Chaque jour depuis l'ouverture, des délégations venues de partout dans le monde débarquent à l'hôtel de ville, au restaurant Hélène de Champlain et sur les îles. Tous les jours, M. et Mme Drapeau, qui sera très sollicitée cette année-là, reçoivent rondement leurs invités mais avec déférence. Soixante pays participeront à des manifestations de tous genres. Jamais on n'a autant reçu de dignitaires. Jamais on n'a autant parlé de Montréal à l'étranger.

Et voilà que l'idole du maire parmi toutes vient foutre le bordel ! Daniel Johnson, qui s'est déjà avancé en terrain souverainiste, est dans ses petits souliers. Lester B. Pearson, premier ministre du pays, doit calmer le Canada anglais tout entier. Il qualifie la déclaration du président « d'inacceptable ». Ce dernier lui répond en annulant son passage à Ottawa prévu deux jours plus tard.

Le 26 juillet, moins de 48 heures après de la scène du balcon (*à ne pas confondre avec celle de* Roméo *et* Juliette), est tout de même donné dans la salle du Conseil de l'hôtel de ville un grand dîner pour remercier Charles de Gaulle de sa présence.

Évidemment, Jean Drapeau devra y prendre la parole. Lui qui prend plaisir à discourir depuis l'enfance se retrouve devant ce que les spécialistes appelleraient « un beau cas ». Comment pourra-t-il désamorcer la bombe lancée l'avant-veille et qui fait un tour de presse international ? Il ne faut pas mettre d'huile sur le feu. Il faut rassurer Ottawa, grand bailleur de fonds de l'exposition. Une seule chose est impossible : éviter la question. Ce ne serait pas digne de Jean Drapeau.

Certains ont parlé d'improvisation, d'autres affirment que M. Drapeau a travaillé à son discours toute la nuit, l'apprenant par cœur, d'autres encore disent que M. Drapeau a consacré à cette allocution un temps égal aux nombreuses autres qu'il fit cette année-là. Toujours est-il qu'on parle encore de nos jours de ce grand exercice de style que fut le discours de Jean Drapeau ce midi-là.

Le maire entame son discours. Il exprime sa gratitude au général plutôt qu'à la France et dit ensuite : « Nous avons appris à vivre seuls pendant deux siècles. » Ce qui revient à dire au général que la France a oublié le Québec très longtemps et qu'il est un peu mal placé pour se mêler de nos affaires. Il souligne quand même l'apport inestimable de la France à notre histoire et le rôle que le Canada français moderne joue à l'intérieur du Canada et de l'Amérique du Nord. Et puis il lance, enflammé : « Jamais nous ne voudrions revivre ce qui a été vécu. » Traduction : S'il vous plaît, Monsieur de Gaulle, cessez de brasser la cabane. Il poursuit : « Je suis Canadien d'origine française. Canadien d'abord quand il s'agit de rivaliser avec d'autres pays et, à l'intérieur du Canada, je suis fier d'être d'origine française. Et plus on va être fiers d'être d'origine française, plus on va servir le Canada », dit-il ensuite, faisant plaisir à tous, d'un océan à l'autre.

Ce discours retransmis à la télévision dans tout le pays fera époque. Selon certains, il allait tellement dans tous les sens qu'il ne voulait rien dire. D'autres seront d'avis que M. Drapeau se défila en privilégiant à la fois le Canada et le Québec, lui qui avait toujours été un ardent nationaliste. D'autres, enfin, parleront d'un chef-d'œuvre de diplomatie. Plus encore, certains observateurs canadiens décoderont avec bonheur que ce discours avait remis le président « à sa place ».

Charles de Gaulle, lui, sentira le besoin de rétablir certains faits : « Ensemble, nous avons été au fond des choses et nous en recueillons les uns les autres des leçons capitales. » Il lèvera enfin son verre « en l'honneur de Montréal, de la ville de Montréal, plus chère à la France qu'elle ne l'a jamais été ». En d'autres termes, il aurait pu dire : Bravo, Jean, tu t'en es bien sorti.

Voici l'analyse que fait Claude Ryan du discours dans le *Devoir* deux jours plus tard : « Le discours improvisé que fit mercredi midi le maire de Montréal n'était pas nécessairement un chef-d'œuvre de concision. Dans le contexte où il a été prononcé, il eut cependant l'effet d'un véritable catalyseur et fut à cet égard un chef-d'œuvre de diplomatie, c'est-à-dire un alliage magistral de courtoisie, de chaleur et de fermeté. »

Cet épisode politique marquera tellement Jean Drapeau qu'à la fin de sa vie il consacrera de longues heures à la rédaction (inachevée) d'un livre sur la vie du général ainsi qu'à une explication de ce que le grand personnage avait voulu dire lors de son passage mémorable.

Le prestige

À la fin de 1967, le prestige du maire était à son apogée. Avec ses nuées de visiteurs, Terre des Hommes avait ouvert les Québécois sur le monde, et le monde sur

Montréal. Ce fut sans contredit la plus grande contribution de Jean Drapeau à la modernisation du Québec et à la Révolution tranquille.

Les plus grands quotidiens et magazines de l'Occident, *Time*, *Le Monde*, le *National Geographic*, faisaient l'éloge du maire et de Montréal. Drapeau était devenu, au dire de plusieurs, le maire le plus important d'Amérique du Nord. Les honneurs déferlaient sur le petit gars de Rosemont.

Le grand ami de Jean Drapeau, le caricaturiste Robert Lapalme, l'un des rares qui pouvait entrer dans le bureau de l'hôtel de ville ou celui de la rue Sherbrooke sans frapper, disait à ce moment : « Le pays est à ses pieds[90]. »

En tout cas, les partis politiques le tenaient en haute considération. Durant cette période, les Partis conservateur et libéral du Canada étaient à se choisir de nouveaux chefs. Les libéraux pensèrent à Drapeau tellement il rayonnait dans tout le Canada. Les conservateurs allèrent plus loin. John Diefenbaker, qui avait déjà essayé d'attirer Drapeau dans son équipe, l'invita chez lui à Stornoway pour lui offrir officiellement de l'appuyer s'il se présentait à la direction du parti qu'il allait devoir quitter.

Jean Drapeau confirme que ce fut le cas. Ses proches conseillers, dont son organisateur politique principal J.-H. Brien, procédèrent même à une évaluation de ses chances de victoire à un congrès[91]. Finalement, il refusa l'offre du vieux lion qui laissa la place à Robert Stanfield qui allait se faire écraser en juin 1968 par un certain Pierre Elliott Trudeau.

Le succès d'Expo 67 monta-t-il à la tête du maire ? À partir de l'été, Jean Drapeau se mit à rêver de permanence pour Terre des Hommes alors que, sauf pour quelques bâtiments et le parc d'amusement, rien n'avait vraiment été prévu à cet effet.

Pourquoi poursuivre ? L'envers de la médaille d'Expo 67 commençait à s'afficher. On découvrit que l'exposition était un gouffre financier de plusieurs dizaines de millions de dollars. L'Expo devait coûter 167 millions de dollars mais elle était passée à 430 millions de dollars, sans compter les travaux d'infrastructures afférents qui dépassaient le demi-milliard de dollars. (*Jean Drapeau contestera toujours la véracité de ces calculs.*)

Lucien Saulnier qui méritait lui aussi toutes les félicitations pour avoir réussi à « livrer la marchandise » était conscient de ce fait et en vint très vite à la conclusion qu'il fallait mettre fin à l'aventure. En sept ans, à la tête de l'Exécutif, il avait littéralement fait passer l'administration de l'âge de pierre à la modernité. Il avait mené de main de maître le projet du métro et avait tenu la Ville à l'abri de la corruption. Expo 67 avait été un franc succès, sauf sur le plan financier. Et pour que cela n'ait pas un impact sur toute l'administration municipale, mieux valait en rester là.

Drapeau, lui, n'arrivait pas à croire qu'il fallait tout remballer. Il fallait à Montréal des installations qui allaient continuer à faire rayonner la ville à l'international. Il n'avait que faire des dépassements de coûts du projet. Il ne considérait pas le fait qu'il s'agissait du deuxième grand projet déficitaire, avec la Place des Arts, auquel il était associé, et que cela commençait à lui faire réputation.

Entêté, à la fin de 1967, il avait convaincu la plupart des compagnies et pays participants à l'exposition de donner leurs pavillons à la ville et, malgré les inquiétudes de Saulnier, décision fut prise de produire une Terre des Hommes 1968.

Guy Legault raconte, dans *La ville qu'on a bâtie*, qu'à ce moment Lucien Saulnier, dans une manœuvre de politique interne comme il peut s'en produire de temps en temps, troqua la poursuite de Terre des Hommes contre la création d'un service de l'habitation qui lui tenait à cœur et auquel Drapeau s'opposait parce qu'« il ne croyait pas à ces histoires d'habitations à loyer modique et de rénovation de logements[92]. » Legault devint donc le directeur d'un service auquel le maire ne s'associait pas.

Pour parer au déficit engendré par la première saison, Drapeau eut l'idée de lancer une loterie dans tout le Canada, qu'il appela « la taxe volontaire ». Comme ça, l'ensemble du pays, plutôt que les seuls contribuables montréalais, allait contribuer une fois de plus à son œuvre. Sans obtenir toutes les autorisations légales pour ce faire et à même plusieurs entourloupettes, il proposa aux citoyens d'acheter des billets à 2 $ et de courir la chance de gagner des sommes importantes pouvant aller jusqu'à 100 000 $. Curieux retournement de situation pour quelqu'un qui avait combattu le jeu 15 ans plus tôt.

Jean Drapeau venait de créer l'ancêtre de Loto-Québec. La loterie eut beaucoup de succès (*mais fut abandonnée, jugée illégale à la fin de 1969 par la Cour suprême du Canada*) et plus de 15 millions de visiteurs se rendirent à cette deuxième édition de Terre des Hommes. Mais à la fin de l'année, Montréal devait toujours plus de 25 millions de dollars au gouvernement canadien qui avait allongé les sommes nécessaires à la tenue d'Expo 67.

C'est alors qu'un affrontement très important eut lieu au sein l'équipe de rêve qu'avaient formée Drapeau-Saulnier depuis 1960. Après maintes discussions avec le maire qui continuait de croire à l'importance touristique de son bébé, Lucien Saulnier décréta que l'aventure de Terre des Hommes était bel et bien terminée. La Ville enregistrait un nouveau déficit de huit millions de dollars, et l'hiver qui venait allait être très coûteux dans les îles un peu trop nordiques. Jean Drapeau ne l'entendait pas ainsi et persistait.

N'en pouvant plus d'affronter le maire sur cette question comme sur beaucoup d'autres depuis 8 ans, le 29 janvier 1969, le président du Comité exécutif se leva au Conseil municipal pour annoncer, unilatéralement comme l'aurait fait qui vous savez, que Terre des Hommes cessait ses opérations.

Dans un geste théâtral, Jean Drapeau se leva à son tour et, après avoir signifié qu'il était en désaccord avec cette décision, annonça qu'il songeait à démissionner. Saulnier n'avait pas prévu le coup et apprit à ses dépens ce que voulait dire le mot « populaire ». Dans les semaines qui suivirent, la population appuya massivement Jean Drapeau et le supplia de rester, à tel point que Saulnier dut négocier avec les gouvernements provincial et fédéral des arrangements financiers qui permirent la poursuite de Terre des Hommes.

Il venait de perdre la bataille et la face, et fit une dépression[93]. Les choses ne seraient plus jamais les mêmes entre les deux hommes. Lucien Saulnier apprit les limites de la fidélité de Jean Drapeau. Terre des Hommes se poursuivit pendant bon nombre d'années, mais, faute d'expertise et de réinvestissements qui de toute façon se seraient avérés largement déficitaires, l'intérêt des citoyens du Québec et des touristes s'amenuisa, le site de l'exposition tomba en décrépitude ainsi que la relation entre Lucien Saulnier et Jean Drapeau.

Chapitre 10

Monsieur le maire s'amuse ?

Le 27 mai 1968, Montréal décrocha une franchise de la Ligue nationale de baseball. Grâce en grande partie au travail remarquable du vice-président de l'Exécutif Gerry Snyder et du maire, les « Expos » de Montréal allaient jouer au parc Jarry à partir d'avril 1969.

En 1960, Montréal avait perdu les Royaux de Montréal, équipe professionnelle, club ferme des Dodgers de Brooklyn et par la suite de Los Angeles. À partir de 1961, Gerry Snyder, sous la recommandation de Jean Drapeau qui a déjà rencontré les grands patrons de la Ligue nationale de baseball (LNB), s'emploie à convaincre les Américains d'implanter une équipe hors de leur pays. Ce n'est pas facile. Non seulement il est difficile pour les Américains de considérer une équipe ailleurs qu'aux États-Unis, mais la condition essentielle à l'obtention d'une concession est la construction d'un stade d'envergure que ne possède pas Montréal.

Le projet vivote jusqu'à 1967. L'exposition universelle terminée, Gerry Snyder apprend au maire qui ne s'intéresse pas vraiment au baseball que la LNB prévoit une expansion pour l'année suivante. Il n'y a pas une minute à perdre. Fidèle à ses habitudes, Drapeau dit à Snyder de se mettre en position, mais de ne pas ébruiter l'affaire.

Snyder, conseiller sous Jean Drapeau depuis 1957, un des principaux liens du Parti civique avec la communauté anglophone, va faire de ce mandat sa grande réalisation.

Le choix de nouvelles franchises se fera à Chicago en avril 1968. Montréal devra alors prouver hors de tout doute que le financement du projet est bien ficelé et qu'un stade répondant aux exigences de la ligue sera construit. Si ces deux conditions sont remplies, Montréal peut espérer être sur les rangs.

Snyder sera efficace dans sa capacité de réunir des partenaires financiers autour du projet. Encore une fois, lorsqu'il s'agit de mettre Montréal en marche, c'est par la réunion des francophones et anglophones de la ville qu'il réussira. Les hommes d'affaires Jean-Louis Lévesque, Marc Bourgie, Sam Steinberg et Charles Bronfman seront de la partie, du moins au départ. Snyder s'organisera aussi pour influencer positivement le comité responsable du choix entre les villes de Buffalo, Dallas, Minneapolis, San Diego et Montréal. Multipliant les rencontres et les interventions politiques, il fera en sorte de s'attirer la sympathie d'un grand nombre de décideurs du baseball.

Le 27 mai, Montréal et San Diego deviennent les nouvelles concessions de la ligue à certaines conditions. Jean Drapeau jubile. Il y voit une autre preuve du rayonnement international de la ville. Il est clair que le succès de l'Expo 67 a eu un impact. D'ailleurs, le soir même de l'annonce, le journaliste Dick Young du *New York Daily News,* qui a suivi l'événement, dit à Snyder : « Appelez votre équipe les Expos[94] ! »

Snyder, Drapeau et Saulnier, qui suit le dossier de près pour ne pas qu'il coûte trop cher, ne sont pas au bout de leurs peines. Les deux premiers croient de prime abord que l'Autostade situé dans le sud-ouest de la ville

26 juillet 1967. Jean Drapeau accompagne l'une de ses idoles, le général de Gaulle, vers la salle du Conseil de l'hôtel de ville. Moins de 48 heures auparavant, le président de la France avait fait trembler le Québec.

Photo : Michel Gravel/*La Presse*

Au cours de sa carrière, M. Drapeau aura transigé avec 9 premiers
ministres québécois et 7 premiers ministres canadiens. Ici, en juillet 1976,
il participe avec Robert Bourassa et Lawrence Hannigan, président
de la CTCUM, à l'annonce d'un prolongement de la ligne numéro 1
du métro vers l'est.

Photo : Pierre Côté/*La Presse*

Avec le premier ministre canadien Brian Mulroney en 1985. C'est
M. Mulroney qui nomma Jean Drapeau ambassadeur à l'UNESCO.
Photo : Robert Mailloux/*La Presse*

Avec Maurice Richard. Deux idoles du «peuple» de Montréal.
Photo : Pierre Côté/*La Presse*

René Lévesque fut associé au parcours de Jean Drapeau pendant 30 ans, à la fois comme journaliste, ministre et premier ministre du Québec.

Photo : Doug Ball/Presse Canadienne

Gerry Snyder, conseiller et vice-président du Comité exécutif, fut un allié politique indéfectible de M. Drapeau.
Photo : Bernard Brault/*La Presse*

Jean Drapeau aura donné du fil à retordre à quatre présidents du
Comité exécutif : Pierre Desmarais, Lucien Saulnier, Gérard Niding et
Yvon Lamarre (sur la photo).

Photo : Bernard Brault/*La Presse*

Monsieur le maire n'était pas sportif. Mais s'il s'agissait de faire
rayonner Montréal…
Photo : collection *Montréal-Matin–La Presse*

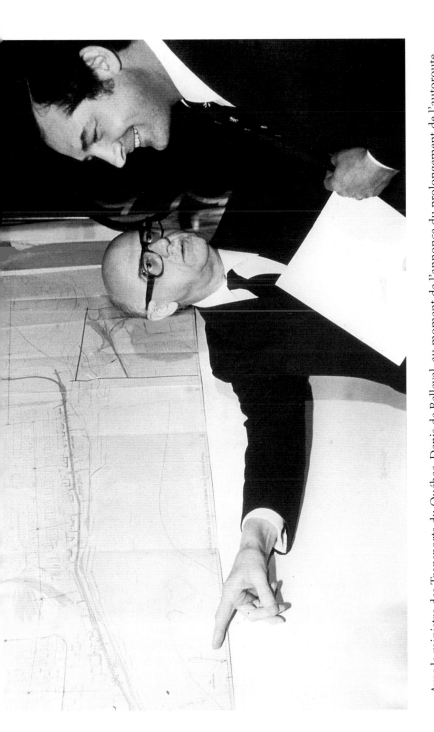

Avec le ministre des Transports du Québec, Denis de Belleval, au moment de l'annonce du prolongement de l'autoroute Ville-Marie en 1980. C'est sous Jean Drapeau que se développa la quasi-totalité du réseau autoroutier de l'île de Montréal.

Photo : Michel Gravel/*La Presse*

Le 17 juillet 1976, M. Drapeau, larmes aux yeux et étendard olympique
brandi bien droit, vient de traverser la pire épreuve de sa carrière
politique. Ce jour-là, il sera ovationné.

Photo : Pierre McCann/*La Presse*

Au départ, Robert Bourassa n'était pas très intéressé par le dossier
olympique. À un mois des Jeux, à son corps défendant,
il en était autrement.

Photo : Chris Haney/Presse Canadienne

La maison familiale de l'avenue des Plaines à Rosemont en 1999. On remarque la passerelle permettant à M. Drapeau un accès en fauteuil roulant.

Photo : Alain Roberge/*La Presse*

Cette photo de février 1982 nous montre un Jean Drapeau amoindri à la suite d'une chute dans le garage de l'hôtel de ville. Au cours de la même période, il fut aussi victime d'un accident vasculaire cérébral. Cela ne l'empêcha pas de se faire élire une autre fois quelques mois plus tard. Le photographe Michel Gravel se souvient d'avoir pris cette photo en vitesse. M. Drapeau n'appréciait pas que l'on entre dans son intimité.

Photo : Michel Gravel/*La Presse*

Au moment de la lecture de son discours de démission, le 27 juin 1986, il éclate en sanglots. À sa droite, Mme Drapeau.

Photo : Ryan Remiorz/Presse Canadienne

7 novembre 1986. Celui qui habita « son » hôtel de ville pendant 29 ans
le quitte pour la dernière fois.
Photo : Pierre Côté/*La Presse*

Au moment des funérailles. Mme Drapeau est soutenue par son fils Michel. Derrière lui, à gauche, Pierre et François ainsi que d'autres membres de la famille.

Photo : Pierre McCann/*La Presse*

et qui a été construit dans le cadre d'Expo 67 fera l'affaire. La ligue ne l'entend pas ainsi. Il est trop petit, n'est pas couvert et est mal situé. Il faudra 35 000 places, et l'Autostade n'en contient que 26 000. De toute façon, il faudrait y investir sept millions de dollars en rénovation. Saulnier n'est pas de bonne humeur.

Dès le lendemain de l'attribution de la franchise, Charles Bronfman est le premier à comprendre que rien dans ce dossier n'est solide. Bourgie, Lévesque et Steinberg prennent peur et se retirent, et les Expos n'ont pas de site !

C'est alors que Drapeau entre en jeu. Lors d'une réunion épique, il convainc le principal bailleur de fonds, Bronfman, d'aller de l'avant. On trouve d'autres investisseurs, dont les frères Beaudry, millionnaires du domaine de la construction. La LNB qui voit bien que le dossier vacille fixe une échéance au 2 août avant d'accorder officiellement la franchise. À quelques jours de cette date fatidique, le dossier n'est toujours pas réglé. Snyder se promène entre les bureaux de Saulnier et Drapeau. Ce dernier lui dit que « tout va s'arranger ». Saulnier, lui, échaudé par l'aventure de Terre des Hommes, ne veut rien savoir de mettre de l'argent de la Ville dans cette aventure.

À quelques jours de l'échéance s'amène le président de la Ligue nationale de baseball en personne, Warren Giles. Il veut prendre connaissance de la situation. Drapeau l'invite à dîner au Hélène de Champlain avec Snyder et quelques autres personnes. À ce moment, il n'y a toujours pas d'endroit pour accueillir les Expos, et Charles Bronfman, qui s'est laissé convaincre d'allonger les sommes nécessaires à la création de l'équipe, est au bord du découragement. Durant le repas, quelqu'un suggère d'agrandir le petit stade de baseball situé dans le parc Jarry. Drapeau ne fait ni une ni deux et amène le président Giles au parc où se joue une partie d'étoiles juniors. On s'organise pour faire connaître au micro la présence du dignitaire. Trois mille personnes surprises et honorées font une ovation, grandement souhaitée par le maire, au président de la ligue qui est charmé par tant de candeur et de convivialité. Dans la nuit, Jean Drapeau prépare avec le directeur des travaux publics des plans préliminaires qui seront soumis dès le lendemain à Charles Bronfman et par la suite à la ligue. Le stade Jarry contiendra 30 000 places et le projet coûtera finalement aux contribuables 4 millions de dollars, soit 3 millions de moins que l'agrandissement de l'Autostade! Ce n'est pas plus compliqué que ça.

Charles Bronfman, qui ne sait rien de ce qui s'est passé la veille, raconte : « Il me demande de venir à son bureau. J'entre, je m'assois et il déroule des plans en disant : " Voici le stade. " J'étais ahuri. Quand, pour l'amour du ciel, avait-il pu préparer cela[95]? »

Voilà comment Jean Drapeau vint mettre un point final positif à la croisade de Gerry Snyder. Malgré quelques contestations, notamment du côté anglophone, le maire avait gagné la partie en neuvième manche après deux retraits et trois balles, deux prises contre lui.

Moins d'un an plus tard, le 7 avril 1969, les joueurs vêtus de leurs uniformes bleu, blanc, rouge, dont Rusty Staub, Maury Wills et Mack Jones, paradent en ville sous les bons auspices de la Chambre de commerce des jeunes de Montréal. Le 14 du même mois, les Expos de Montréal disputent leur première partie dans un stade qui ne correspond toujours pas aux normes de la Ligue nationale de baseball. (*Les Expos commenceront à jouer au Stade olympique en 1977, même s'il ne sera couvert que 10 ans plus tard.*) Mais le maire a su charmer encore une fois. Et encore une fois la ville va rayonner dans toute l'Amérique du Nord.

Montréal 1969

Le Montréal de 1969 bouillonnait de son lien avec l'Univers. Les jeunes étaient dans la rue, d'autres adulaient le politicien anticonformiste Trudeau, les hippies s'amenaient des États-Unis. Robert Charlebois, Yvon Deschamps, Michel Tremblay et combien d'autres avaient secoué les colonnes du temple dans lequel avait appris à vivre Jean Drapeau. La religion foutait le camp, les couples éclataient, la sexualité se vivait au grand jour et puis le Parti Québécois issu du Mouvement souveraineté-association, indépendantiste mais non radical, mené par le grand René Lévesque, n'en finissait plus de vendre des cartes de membres[96].

Drapeau, homme de 52 ans d'un autre temps, tentait, dans la mesure des moyens à sa disposition, de maintenir sa ville « en ordre » et dans la moralité chère à sa croisade des années 1950. Tout ce qui dépassait les bornes de la bonne conduite, que ce soit dans des parcs ou sur des écrans de cinéma, était sujet à sanction par la police de Montréal. Une saisie de film par-ci, une interdiction de manifestation par-là ; par ses actions, il en venait à conforter la majorité de la population dans le désir qu'elle avait que les choses aillent pour le mieux, c'est-à-dire comme avant.

Mais il ne réussissait pas toujours. Le 24 juin 1968, sur l'estrade installée devant le parc Lafontaine dans la rue Sherbrooke, Drapeau n'avait pu endiguer la crise. Pierre Elliott Trudeau, le prochain premier ministre du Canada en pleine fin de campagne électorale, assis à ses côtés, était venu voir passer la parade de la Saint-Jean-Baptiste. On le lui avait pourtant déconseillé, lui qui s'amusait à provoquer les indépendantistes québécois depuis quelques années. Ce fut l'émeute. Les forces policières de Montréal ne suffirent pas à contrôler la situation. Comme tous les autres, sauf Trudeau qui resta assis à braver les manifestants, Jean Drapeau alla se réfugier à l'intérieur de la Bibliothèque municipale. Près de 300 arrestations, plus de 120 blessés ; cette émeute en avait été une vraie. Les temps changeaient. Même un politicien puissant comme lui n'y pouvait rien.

Ce fut un grand vaisseau...

À l'été 1969 s'ouvre un des chapitres les plus saugrenus de la vie publique de Jean Drapeau. S'inspirant de grands restaurants européens qu'il a visités, monsieur le maire, comme s'il n'avait que cela à faire, a l'idée d'en ouvrir un à Montréal, à titre privé. Après tout, les vedettes de hockey ont bien leurs tavernes. Ce sera le Vaisseau d'or, du nom du célèbre poème d'Émile Nelligan que Jean Drapeau admire et dont il connaît bien des œuvres par cœur. Il allègue que ce commerce lui assurera, ainsi qu'à sa famille qu'il implique dans l'entreprise, une sécurité financière au moment de sa retraite politique. Il se lance dans une aventure qui s'avérera désastreuse.

Son concept intègre sa passion pour la grande musique. Tous les soirs dans le restaurant de 280 places situé dans l'hôtel Windsor, les convives peuvent se sustenter au son d'un orchestre de chambre de 20 musiciens sous la direction de Jean-Eudes Vaillancourt. Le chef offre des prestations musicales d'une heure, qui comprennent le plus souvent de l'art vocal. Pendant la performance, on exige le silence complet, comme il est d'usage dans le monde classique. Mais pas au restaurant ! Il faut manger sans parler ni faire quelque bruit que ce soit, sinon le chef, encouragé par le discipliné propriétaire, arrête l'orchestre et vous fustige du regard.

Dès l'ouverture officielle qui tourne au désastre, les invités ne pouvant être servis avant plusieurs heures et Jean Drapeau assistant, livide, au bide, le restaurant devient la risée d'une partie de la population et une aubaine pour les médias.

C'est un commerce d'un âge déjà révolu. Alors que Montréal est en pleine révolution culturelle, que la moitié des gens ont moins de 30 ans et que tout porte à faire sauter les conventions, voilà que le maire de Montréal signe un chef-d'œuvre de clinquant suranné. Drapeau y décide de tout, de l'éclairage au mobilier en passant par des menus évidemment préparé par un chef… français. « Il " fermait " lui-même, sept soirs sur sept, se souvient le chef d'orchestre Vaillancourt, faisant sa caisse comme tout bon tenancier de restaurant. À 7 heures le lendemain, il était à l'hôtel de ville[97]. »

Ce sera un échec cuisant. Comment un homme de l'envergure de M. Drapeau peut-il avoir manqué de jugement à ce point et s'être embarqué dans cette galère qui lui coûtera une fortune ? (*M. Drapeau y en engloutira 150 000 $ de sa* poche.) Pour expliquer son geste, il dira à plusieurs : « Je voulais faire la preuve que je pouvais réussir quelque chose moi-même[98]. » Il faut avouer à sa décharge que bon nombre de ses confrères du Conseil étaient eux-mêmes de prospères commerçants. Peut-être fut-il influencé par leur réussite ? Pendant les deux ans que durera cette aventure épique où l'avocat se transformera souvent en maître d'hôtel, le restaurant n'arrivera jamais à faire ses frais. Plus encore, il deviendra la cible de tous les groupes qui s'opposent à lui. Ils s'y présenteront souvent pour manifester, jusqu'à forcer la fermeture du restaurant plusieurs fois. Les syndicats de la Ville et les associations de citoyens en firent leurs choux gras, certains allant même jusqu'à investir les lieux et saccager le restaurant.

La fin de croisière du Vaisseau d'or est presque grotesque. Elle porte ombrage au politicien qui, quelques années auparavant, s'était hissé au rang des plus grands. En complète faillite depuis le début de l'année et voulant littéralement sauver les meubles, un soir de novembre 1971, Jean Drapeau, en conflit avec son locateur l'hôtel Windsor qui lui réclamait 15 mois de loyer, sera forcé de couper les chaînes installées aux portes du restaurant sous séquestre, pour récupérer le mobilier du commerce qu'il soutient lui appartenir. Le tout virera à la foire d'empoigne humiliante.

Les médias seront alertés par le Windsor et saisiront sur le vif cette scène tragicomique pour le moins disgracieuse où le maire, en pleine crise verbale, accompagné de son fils Pierre, se verra contraint de défier les policiers pour avoir accès à ses biens. M. Drapeau sera même accusé injustement de vol à la suite de cette soirée mémorable. Les journaux, quant à eux, suivront toute l'affaire (*qui se terminera par une série de règlements à l'amiable*), prenant plaisir à décrire les chicanes d'argenterie, de linge de table et de vaisselle entre le Windsor et le « roi » de Montréal.

Une triste fin de décennie

1969 ne fut pas une bonne année pour le maire. Mack Jones et les Expos de Montréal commencèrent à jouer au baseball au parc Jarry cette année-là, mais la douceur de ce jeu ne faisait pas le poids avec la lourdeur qui pesait sur la ville.

Obligé de s'opposer publiquement à son ami Saulnier, engouffrant des pertes personnelles considérables dues à l'ouverture de son restaurant, Jean Drapeau voyait sa ville changer. L'agressivité que l'on démontrait à l'endroit du Vaisseau d'or n'était rien en comparaison de la période explosive dans laquelle la ville s'engageait. À la fin de mars, l'escouade antiémeute, créée à la suite de l'émeute de l'année précédente lors de la Saint-Jean-Baptiste, avait dû intervenir pour mettre en déroute les 15 000 manifestants réclamant une Université McGill française. Parmi les harangues, on pouvait entendre : « Drapeau au poteau ! » Pour les révolutionnaires, les gauchistes, les anarchistes comme Nick Auf der Maur, Pierre Vallières, Jacques Lanctôt et même Michel Chartrand, ancien compagnon d'armes de Drapeau, tous très actifs à Montréal au cours de ces années, le maire était devenu un pur symbole du conformisme à la solde du capital.

À Saint-Léonard, le combat pour la défense du français faisait rage. Et que dire des dizaines de bombes placées par le FLQ, dont celle qui explosa à la Bourse de Montréal en faisant plus de 20 blessés ?

À toutes ces menaces extérieures s'en ajouta une autre, venue cette fois de l'intérieur. La Fraternité des policiers de Montréal était devenue au fil des ans une force de frappe importante en matière syndicale. Insatisfaits de leurs conditions de travail, motivés par l'atmosphère ambiante, les policiers ne se gênaient pas pour manifester leur mécontentement. En avril 1968, ils avaient donné la frousse au maire, à Lucien Saulnier ainsi qu'au chef de police Jean-Paul Gilbert en assaillant littéralement l'hôtel de ville, frappant sur les grandes portes de bois verrouillées et scandant la rengaine : « Drapeau au poteau ! »

Cet incident avait été inacceptable aux yeux de Lucien Saulnier. Convaincu d'agir en bon père de famille avec eux, de les connaître et d'entretenir de bonnes relations, son frère étant l'un de ceux-là, il n'arrivait pas à comprendre leur colère, lui qui estimait leur avoir accordé ce qu'ils demandaient lors de la négociation de l'année précédente. Ce soir-là, il sortit sur le balcon de l'hôtel de ville et tenta de s'adresser à la foule de 1000 policiers regroupés dans la rue Notre-Dame. Il n'y parvint jamais.

Drapeau était lui aussi bouleversé par ce qui se passait. Si la police qui était censée préserver l'ordre établi en venait elle-même à se soulever, qu'allait-il pouvoir faire pour maintenir sa ville en ordre ? La ligne téléphonique directe qui le liait au chef Gilbert n'allait plus servir à grand-chose.

La situation continua de s'envenimer pendant les 18 mois qui suivirent. Déçus du manque d'appui des autorités à leur endroit après l'émeute du 24 juin, où la police avait vertement été critiquée pour sa violence, consternés d'apprendre que la Ville, en manque d'argent à cause du déficit de l'exposition universelle, avait décidé de geler les cotisations à leur caisse de retraite, les policiers, maintenant d'une autre génération, ne se sentaient absolument plus liés moralement aux autorités.

Jean-Claude Leclerc, à l'époque journaliste au *Devoir*, se souvient de cette période. « Drapeau avait toujours entretenu de bonnes relations avec ses syndicats, un peu comme Pierre Péladeau au *Journal de Montréal*. Il les traitait bien et entretenait une relation quasi familiale avec eux. Quand arriva la fin des années 1960 marquées par la contestation et les déficits engendrés par les grands projets du maire, les choses changèrent et ne furent plus jamais les mêmes par la suite. »

Le conflit dégénéra tout au long de 1969, les pompiers se joignant à leurs confrères en uniforme pour revendiquer la parité avec Toronto. Saulnier et Drapeau trouvèrent le moyen de reprendre les cotisations aux fonds de pension, mais rien n'y fit. De nouveau en négociation, il leur fallut passer à l'arbitrage.

À 5 heures le matin du 28 septembre, une bombe explosa à la maison de Jean Drapeau, avenue des Plaines, faisant des dommages importants. Aucune vitre du cottage de deux étages ne résista au souffle de l'explosion. Il n'y était pas, ayant passé la nuit à son bureau de la rue Sherbrooke après avoir terminé la soirée au Vaisseau d'or. Mais sa femme et son fils Michel dormaient paisiblement lorsque la bombe explosa. Heureusement, ils s'en sortirent indemnes. Qui avait fait le coup ? La mafia voulant signifier au maire qu'il devait payer la « protection » à son restaurant ? Le FLQ ? Les policiers ? Nul ne le sut jamais. Mais le maire commença à s'inquiéter sérieusement pour la sécurité de sa famille. Dorénavant, la maison serait surveillée constamment.

La tension montait. À Québec, le ministre de la Justice Rémi Paul avait annoncé un programme d'action en 10 points visant à faire échec au terrorisme. Soixante corps policiers de la région métropolitaine allaient se coordonner à cet effet.

Le 4 octobre, 1000 pompiers, dans un geste de solidarité, se rendirent à pied de leur quartier général jusqu'au Vaisseau d'or, gentiment escortés par les policiers. Ils manifestèrent bruyamment en plein cœur du centre-ville. Le matin du 7 octobre, l'arbitre chargé de régler le conflit déposa son rapport. Selon ses recommandations, les salaires des policiers devaient être augmentés, mais pas au niveau de leurs confrères de Toronto. Et la Ville pouvait maintenir sa règle du « One man car » demandant aux policiers de demeurer seuls dans leur voiture, procédure jugée dangereuse par ces derniers. Même si le droit de grève leur était interdit depuis 1944, les policiers gonflés à bloc n'allaient accepter aucun compromis. Pendant toute la matinée, ils débrayèrent, encadrés par l'escouade antiémeute qui leur montrait le chemin du Centre Paul-Sauvé situé dans l'est de Montréal, lieu prévu de leur rassemblement.

La ville était maintenant sans surveillance. Il n'y avait plus un seul policier en fonction. Il ne fallut pas plus d'une heure pour que les citoyens commencent à s'en donner à cœur joie. À 10 h 30, l'armée canadienne était en alerte, les policiers de la Sûreté du Québec appelés en renfort étaient quant à eux traités comme des briseurs de grève par leurs homologues de Montréal. Quatre cent cinquante-six vols avec effraction eurent lieu pendant la journée.

Lucien Saulnier, dans un geste courageux, se rendra au Centre Paul-Sauvé en plein cœur du tumulte. Il montera sur l'estrade et demandera en vain aux policiers de rentrer au travail. Il sera pratiquement expulsé de la salle, non sans avoir gagné un certain respect de la part des forces policières. Voyant qu'il n'arriverait à rien, le président du Comité exécutif demandera des renforts à Québec. Sept cents militaires seront envoyés, et un projet de loi spéciale sera préparé à la hâte.

Pendant ce temps, Jean Drapeau était à l'étranger, en mission commerciale avec le gouvernement canadien. Il avait hésité à participer à la mission, sachant la tombée du rapport arbitral très proche, mais s'était finalement laissé convaincre de quitter la ville. Lui qui avait de nombreux défauts, mais n'était pas du genre à se défiler de ses responsabilités, avait joué de malchance. Dès qu'on l'informa de la situation, il se mit en contact téléphonique avec Saulnier.

Comme si ce n'était pas suffisant, en soirée, le Mouvement de libération du taxi profite de la situation pour aller manifester devant les garages de la compagnie de limousines Murray Hill. Cette entreprise qui a le monopole des transports automobiles à l'aéroport de Dorval est identifiée depuis plusieurs années par les groupes révolutionnaires comme un symbole de l'impérialisme anglophone. Le mouvement est donc appuyé et noyauté par tout ce qui grouille d'éléments agitateurs dans la ville. « Le groupe comprend environ 200 personnes, dont quelques membres du Front de libération du Québec (FLQ). Des cocktails Molotov mettent le feu à plusieurs véhicules. Pris de panique, des employés de la compagnie, juchés sur le toit de l'édifice, font feu sur la foule. Un membre de l'escouade de sécurité de la Sûreté du Québec, le caporal Robert Dumas, est atteint d'une balle. Des manifestants, comme le chauffeur de taxi Marc Carbonneau, que l'on retrouvera lors de la crise d'octobre, reçoivent des décharges de plomb. Les vitres de plusieurs établissements de la rue Sainte-Catherine et des rues avoisinantes sont fracassées. Les dommages atteignent presque le million de dollars[99]. » L'altercation fera trois morts et le soulèvement se propagera au campus de l'Université McGill, à l'hôtel Queen Elizabeth ainsi qu'encore une fois au Vaisseau d'or où des clients seront malmenés.

Jean Drapeau rentra de sa mission de Saint Louis aux États-Unis par le premier vol disponible, à peu près au moment où l'armée canadienne prit en charge la sécurité de la ville. À son arrivée, lui, Saulnier, Gerry Snyder et le chef de police Gilbert attendirent impatiemment à l'hôtel de ville que les policiers se rendent à la loi spéciale forçant leur retour au travail, promulguée à Québec aux environs de minuit. Quinze jours plus tard, la Fraternité de Montréal obtenait pour ses membres des conditions de travail inégalées au Canada.

Pendant que Lucien Saulnier rejetait la responsabilité de l'émeute de Murray Hill sur Ottawa, qui s'occupait de l'administration aéroportuaire, et sur la Compagnie des jeunes Canadiens (*groupe de pression subventionné par le gouvernement fédéral considéré par l'administration municipale comme un nid d'agitateurs*), il fallut une semaine à Jean Drapeau pour réagir aux événements du 7 octobre. Le lendemain de cet événement sans précédent où Montréal était devenu en quelques heures une ville du Far West sans shérif, des centaines de soldats arpentaient les rues de « sa » ville. Cette image qui ne serait pas la dernière de ce type lui était insoutenable.

Il prononça alors une allocution télévisée : « Pourquoi Montréal est-il victime du terrorisme et de l'anarchie ?, demanda-t-il aux téléspectateurs. C'est très simple : Montréal doit payer le prix qu'il faut pour être une grande ville internationale. En Angleterre c'est Londres ; en France c'est Paris ; aux États-Unis ce sont les grandes villes ; en Italie c'est Rome et au Canada c'est à Montréal que le terrorisme et l'anarchie se sont enracinés… Ce n'est rien de rassurant que de voir le vent de l'anarchie et du terrorisme souffler sur le monde entier. Mais ce n'est pas en perdant la face, ce n'est pas en perdant la tête, ce n'est pas en perdant notre sang-froid et notre volonté que nous trouverons une solution. Je prie Dieu avec vous pour qu'ensemble nous trouvions le courage d'affronter la situation et de faire notre devoir jusqu'à la fin[100]. »

La période dorée de Jean Drapeau achevait, en même temps que la Révolution tranquille.

Chapitre 11

Montréal se fait violence

« Le peuple de Montréal comprend mieux
ce qu'est la démocratie que ceux qui posent
publiquement comme étant son interprète. »

Jean Drapeau
25 octobre 1970

En 1966, la population de Montréal atteint un record avec 1 214 000 habitants. Dès lors, elle commence à décroître de façon irrémédiable au profit de la banlieue. Alors que Montréal abritait jusque-là près des 2 tiers de la population de la région, la ville n'en comptera plus qu'un tiers 20 ans plus tard.

Bien que le niveau de vie des Montréalais continue généralement de s'améliorer grâce à l'accès à l'éducation et à la mise en place des nombreux services pourvus par l'État-providence, Toronto n'en finit plus de battre Montréal sur à peu près tous les plans. C'est à Toronto que l'immigration est la plus forte. C'est là aussi que se concentrent les échanges commerciaux avec les États-Unis, beaucoup plus importants qu'avec le Royaume-Uni, avec qui Montréal fait des affaires. Finalement, les industries manufacturières et de produits de consommation, si importantes à Montréal depuis le début du siècle, pâtissent des accords internationaux qui lèvent les protections contre la concurrence étrangère venue des pays émergents imbattables en matière de bas salaires.

Ni les gouvernements ni Montréal ne semblent réagir sérieusement à cette situation. Il faut dire que Jean Drapeau en a plein les bras avec les mouvements de gauche, le combat pour la langue française, l'effritement du pouvoir religieux et tous ces changements sociaux qui se vivent à Montréal plus qu'ailleurs. Sa stratégie de grands projets et de rayonnement international qu'il entend poursuivre ne fait pas le poids devant tant de changements profonds. Pourtant, quand Montréal obtient les Jeux olympiques de 1976 le 12 mai 1970, avec 41 votes contre 28 pour Moscou, c'est l'euphorie. Le peuple est heureux. Montréal est une grande ville. Monsieur le maire a encore gagné.

Lorsque arrivent les turbulentes années 1970, Jean Drapeau a 54 ans. Alors que d'autres grands politiciens de sa génération comme Pierre Elliott Trudeau et René Lévesque s'adaptent aux changements en cours et développent des projets politiques qui intègrent les nouvelles valeurs morales et sociales de la société québécoise et canadienne, le maire lui, résiste. Il propose à sa population du conservatisme social ainsi que du faste politique et événementiel. Les gens aisés, tant francophones qu'anglophones, ainsi que les personnes plus âgées de toutes les sphères de la société le suivent dans cette voie. Le problème est que près de la moitié des Montréalais n'ont pas 30 ans.

Le règlement sur les manifestations publiques

Un des exemples les plus probants de ce Jean Drapeau qui refuse de voir bouger la société est l'adoption du règlement 3926, « prévenant les émeutes et autres trou-

bles de l'ordre, de la paix et de la sécurité publique»,
qu'il fait adopter avec Lucien Saulnier par le Conseil
municipal après la grève de la police à l'automne 1969.
Ledit règlement, quelque peu allégé à la suite des protes-
tations qu'il engendre dès sa prise de connaissance, interdit tout de même toute manifestation à l'intérieur de la
ville pendant 30 jours. Il faut dire que le tonnerre gronde
toujours en ville, cette fois à·cause du projet de loi 63
sur la langue française proposé par le gouvernement
unioniste de Jean-Jacques Bertrand. Le seul rassemblement public qui sera toléré sera la parade de la coupe
Grey. Même celle du père Noël sera annulée[101].

Ce règlement provoquera… des manifestations!
Deux cents femmes marcheront dans la rue au nom de
la liberté de manifester et seront arrêtées, dont Louise
Harel, alors étudiante universitaire, politicienne qui fera
sa marque entre autres en affaires municipales
trois décennies plus tard avec le Parti Québécois et se
présentera à la mairie de Montréal en 2009. Cinq cents
étudiants seront refoulés au cours de la même période
sur le campus de l'Université McGill.

Au moment du débat menant au vote du règlement
dont la légalité sera contestée devant les tribunaux pendant des années, Drapeau aura à descendre de son siège
présidentiel pour se rendre sur le parquet de la salle du
Conseil afin de débattre de la question avec un homme
qu'il respecte et qu'il nommera plus tard au Comité exécutif: John Lynch Staunton. M. Lynch Staunton est
membre du Parti civique et a été candidat de l'Union
nationale dans Notre-Dame-de-Grâce. C'est un homme
d'affaires parfaitement bilingue, conseiller de Côte-
des-Neiges. Il n'appartient pas à la gauche.

«Nous sommes responsables d'un climat économique qui devrait bénéficier à tous. Nous sommes tous

responsables, à tous les niveaux, dit Lynch Staunton. Ce n'est pas en aménageant l'hôtel de ville en forteresse, ce n'est pas en défendant le *statu quo* qu'on va répondre aux attentes de nos citoyens[102]. »

Drapeau, décontenancé par ces propos, peu habitué à être contesté au Conseil, offre une réponse qui démontre clairement sa vision des choses.

« Le courage doit se prouver non seulement dans la rue, mais au Conseil… Par esprit de générosité poussé à l'extrême, on semble porté à pratiquer l'humilité jusqu'au masochisme[103]. »

Répondant aux accusations du conseiller Frank Hanley qui compare le projet de règlement aux mesures nazies d'avant la guerre, Drapeau s'emporte : « Parce qu'on prépare la paix, va-t-on devoir se défendre d'être nazi ? […] C'est la vie des citoyens, c'est la vie des conseillers qui est en danger. On prépare la révolution chez nous. […] Entre le communisme et le fascisme, il y a un Conseil municipal qui doit se tenir debout ! […] Je ne crois pas que le parlement doive descendre dans la rue. Il y aura toujours plus de jeunes que de vieux dans la rue et c'est dans la boîte de scrutin que la véritable démocratie s'exprime. […] L'anarchie s'organise, l'anarchie s'infiltre[104] », lance-t-il avant d'en appeler à un vote unanime.

Octobre 70

Le 5 octobre 1970, les membres de la cellule Libération du FLQ enlèvent James Richard Cross, l'attaché commercial du haut-commissariat de la Grande-Bretagne, à son domicile du chic Redpath crescent. Le maire Drapeau en est informé par le chef de police Marcel Saint-Aubin. Paul Leduc, son chargé de relations publiques, se souvient d'avoir eu ce jour-là devant lui un homme extrêmement inquiet. Quand il était contrarié ou anxieux,

Jean Drapeau se frottait les mains nerveusement. Ce matin-là, il ne cessait de les agiter.

Drapeau connaissait Cross, habitué des réceptions tenues à l'hôtel de ville en différentes circonstances. La première chose qu'il fit fut de rédiger soigneusement une lettre d'encouragement à son épouse. Une fois le choc passé, il se prépara à la présentation du programme du Parti civique prévue le jour même dans le cadre de la campagne électorale en cours, sous le thème peu à propos, on en conviendra : « Montréal sera la plus grande ville touristique ».

Drapeau, Saunier et le corps policier montréalais appréhendaient une situation du genre depuis au moins un an. À tel point qu'une escouade antiterroriste, dirigée par le chef du contentieux de la Ville, Michel Côté, avait été mise en place pour parer à toute éventualité. Ils n'avaient pas tout à fait tort, car plusieurs complots avaient déjà été découverts, dont certaines tentatives d'enlèvement qui avaient été contrecarrées.

M. Drapeau, pour sa part, était sous surveillance depuis plusieurs mois. Comme il détestait être escorté par des agents de sécurité, il avait proposé plutôt que son chauffeur fût armé. Il fit aussi l'acquisition d'un énorme chien, un bull mastiff nommé Duc, qui devait le protéger en le suivant partout et dont le chauffeur Guy Piché devint le promeneur. L'animal s'avéra toutefois totalement inoffensif, préférant réchauffer les pieds des secrétaires de l'hôtel de ville au lieu de chercher des révolutionnaires[105].

Ce jour-là, Lucien Saulnier est en Allemagne pour la Ville et il s'apprête à rentrer. C'est à l'aéroport qu'il apprend qu'un acte terroriste a été commis à Montréal. Saulnier en est à ses dernières heures à la Ville. Il a déjà annoncé qu'il ne briguerait pas les suffrages à la prochaine élection qui arrive à grands pas. Au fil des ans, ses relations avec le maire se sont dissoutes. Les nombreux conflits qu'il a eus à arbitrer l'ont aussi épuisé moralement. Ce faisant, le rôle qu'il jouera dans les semaines qui vont suivre sera moins important que celui que lui aurait dicté sa fonction de président du Comité exécutif.

Saulnier partage totalement l'avis du maire quant à la gravité des événements. Pour lui comme pour Jean Drapeau, ce qui vient de se produire mérite une riposte sans équivoque. Selon eux, le pays et la ville sont au bord de l'insurrection, et la loi et l'ordre doivent triompher. Encore une fois, les deux hommes évaluent-ils bien ce qui se passe? Avec le recul, il est facile de dire qu'ils exagèrent la situation. Profitent-ils de la conjoncture qui s'offre à eux pour tenter d'éradiquer le « mal » montréalais causé par les forces gauchistes et anarchistes qui se sont installées en ville sans coup férir depuis le début des années 1960?

Il faut admettre que la situation est sérieuse et instable. Elle a entraîné des réunions d'urgence des conseils des ministres québécois et canadien. Drapeau, lui, se méfie de sa police. Les événements de l'année précédente l'ont rendu circonspect. Et puis il n'y a aucune harmonie entre le corps policier de Montréal, celui du Québec et les agents fédéraux. C'est la pagaille, engendrée par des guerres de pouvoir exactement comme on en voit dans les films policiers. On a eu beau ériger une véritable forteresse policière où s'affairent des dizaines d'experts de l'escouade antiterroriste sous la direction de Michel Côté, la situation demeure parfaitement explosive.

Et puis il y a ce jeune Robert Bourassa qui vient de prendre le pouvoir à Québec, sans expérience, se disent les autorités de la Ville, et qui se trouve plongé dans une crise comme aucun premier ministre du Québec n'en a connu. Ce n'est rien pour rassurer le maire.

Le sénateur Jean-Claude Rivest, qui est alors conseiller au cabinet de Robert Bourassa, se souvient des rencontres avec le maire au moment de la crise. « M. Drapeau faisait de longs discours sur la situation, que nous écoutions sans trop réagir. Il parlait de la crise et la commentait de façon caricaturale. Il dressait un portrait des agitateurs qui frisait le ridicule. Il semblait totalement dépassé par les événements et n'apportait aucun élément de solution. Robert Bourassa avait une grande admiration pour Jean Drapeau. Mais il était d'une autre génération. Il avait une lecture très différente de ce qui se passait. Il comprenait les mouvements qui avaient cours en Europe et aux États-Unis. Sans dire qu'il n'était pas impressionné par la situation, je crois qu'il l'abordait de façon utilitaire. Pour le premier ministre, la principale source d'inquiétude tenait au fait que les différents corps policiers impliqués semblaient être incompétents à gérer la situation. Mais comme moi, il trouvait que la réaction et l'attitude de Jean Drapeau étaient exagérées. »

Le « gouvernement parallèle »

Dans la nuit du 10 au 11 octobre, la cellule Chénier du FLQ procède à un second enlèvement, celui du ministre et vice-premier ministre du Québec, Pierre Laporte. Le Front, qui négocie sur la place publique à coup de communiqués qu'il fait lire par les « annonceurs » des médias, vient de frapper un grand coup. Cette fois, il s'agit d'un Canadien français. Encore là, Jean Drapeau le connaît, et beaucoup mieux. Ils ont souvent travaillé ensemble, notamment dans le dossier de la Place des Arts. La pression devient énorme. Le maire est nommément ciblé dans les déclarations publiques du FLQ.

On le traite de « chien » d'aristocrate, on fait référence à son Vaisseau d'or. Il est un potentat à la botte du capitalisme. Dans les rangs policiers, on le met en haut de la liste des personnalités susceptibles d'être kidnappées.

C'est alors que deux interprétations différentes de la situation prennent force. Certains, comme Drapeau, Saulnier et une partie de la police, croient que le pays est au bord de l'effondrement, en proie à des groupes organisés. D'autres sentent une certaine improvisation de la part du FLQ et entrevoient une fin de crise par la négociation. Lorsque commence à se profiler une intervention de l'armée canadienne, dont Jean Drapeau est l'un des promoteurs, un groupe de personnalités influentes trouvent que l'on exagère et qu'il est possible de résoudre la crise « entre Québécois ». Mais voilà, Robert Bourassa tergiverse. On ne sait pas vraiment ce qu'il entend faire. On apprendra que cette ambivalence le caractérisera tout au long de sa carrière pour offrir aux Québécois le pire et le meilleur. Certains jours, par l'intermédiaire de son ministre Jérôme Choquette, il semble pencher pour une négociation avec les ravisseurs. D'autres fois, il adopte une ligne beaucoup plus dure.

Dans un souci à la fois réel et stratégique de venir en aide à un premier ministre qui semble débordé, René Lévesque, alors chef du Parti Québécois, rédige un projet de déclaration qu'il entend soumettre au premier ministre. Essentiellement, le texte propose de se solidariser autour du gouvernement du Québec pour tenter de résoudre la crise « à l'interne » et éviter de faire appel aux forces fédérales.

La liste des signataires de cette déclaration est impressionnante : Claude Ryan qui parle régulièrement à Robert Bourassa et qui est un ardent défenseur de cette proposition, Alfred Rouleau des Caisses Desjardins, les présidents de toutes les grandes centrales syndicales, les universitaires et penseurs de la Révolution tranquille Guy Rocher et Marcel Rioux ainsi que Jacques Parizeau et Camille Laurin. En tout, il y a 15 signataires.

Jean Doré, alors attaché de presse de René Lévesque, se souvient d'avoir cherché au nom de son patron à soumettre ce texte à Robert Bourassa. « Je me suis entretenu avec Jean-Claude Rivest de la question, qui m'a dit qu'il verrait avec M. Bourassa. Il ne m'est jamais revenu ». Jean-Claude Rivest confirme le fait que Robert Bourassa n'a jamais tenu compte sérieusement de cette proposition.

Il faut dire que cette initiative déplaît à la Ville de Montréal ainsi qu'au gouvernement fédéral. Pour tenter de la bloquer, on laissera sous-entendre qu'il ne s'agit pas d'aider Bourassa, mais bien de le renverser ! L'initiative restera lettre morte.

Le 15 octobre, les autorités montréalaises et provinciales n'en peuvent plus. Le FLQ menace d'exécuter ses otages. La situation semble sans issue. Ce qui était apparu au départ comme un énorme fait divers dans la vie canadienne ressemble maintenant à une vraie crise, comme on en a vu en Tchécoslovaquie ou en Grèce ! L'armée déjà parquée à Ottawa laisse rouler les moteurs de ses blindés.

Le même jour, mais sans s'en informer mutuellement, Jean Drapeau et Robert Bourassa écrivent à Pierre Elliott Trudeau. Ils lui demandent d'intervenir. Voici l'essentiel de la lettre de Jean Drapeau au premier ministre du Canada :

Monsieur le Premier Ministre,
Le directeur de la police de Montréal nous informe que les moyens à sa disposition s'avèrent

insuffisants et que l'assistance des gouvernements
supérieurs est devenue indispensable pour pro-
téger la société du complot séditieux et de l'insur-
rection appréhendée dont les enlèvements récents
ont marqué le déclenchement.

Nous vous communiquons de toute urgence
ce rapport qui décrit l'ampleur de la menace et
l'urgence de renforcer les mécanismes pour la
combattre. Nous requérons, Monsieur le Premier
Ministre, toute l'assistance que le gouvernement
du Canada jugera utile et désirable pour mener
à bien la tâche de protéger la société et la vie des
citoyens dans ces heures difficiles[106].

Le 16 octobre, l'armée canadienne arrive en ville, et la
Loi sur les mesures de guerre, qui remonte à 1914, entre
en vigueur. Elle permet l'arrestation et la détention
immédiate et sans mandat de toute personne jugée sympathique à la cause ennemie.

Le 17 octobre, Pierre Laporte est retrouvé mort à
l'aéroport de Saint-Hubert, dans le coffre arrière d'une
voiture. Cinq cents personnes absolument innocentes,
des professeurs d'histoire ou de sciences politiques, des
artistes, des gérants de caisses populaires, seront empri-
sonnées au cours de cette période. Les stationnements
souterrains de la Place des Arts si chère au maire servi-
ront tout à coup de débarcadères policiers et de prison.

Le jour des funérailles civiques de M. Laporte, le
centre-ville et les alentours de la basilique Notre-Dame
sont assiégés. Les dignitaires se promènent en limousines blindées. À l'hôtel de ville, certains pensent que
des felquistes vont sortir par centaines des bouches
d'égout et commencer à faire feu. Charles Roy, le chef
de cabinet du maire, féru d'histoire, se promène, l'air

bouleversé, dans les corridors en disant : « C'est la Commune de Paris, c'est la Commune de Paris ! » en faisant référence au soulèvement de 1837[107].

De multiples interprétations de la crise d'octobre ont eu cours depuis sa résolution en décembre 1970 avec la libération de James Cross et l'exil vers Cuba de 4 felquistes reconnus. Au plus fort du conflit, le ministre fédéral Jean Marchand parla de milliers de révolutionnaires en train de détruire le pays. Ils ne furent jamais beaucoup plus qu'une poignée à agir en même temps.

Certaines analyses portent quant à elles à croire que la crise aurait été fabriquée de toutes pièces par le gouvernement fédéral, à l'aide d'agents doubles, afin de permettre l'élimination de tout le courant indépendantiste, au plus fort durant cette période.

Certains avancent de ce fait que les moyens utilisés par le gouvernement fédéral à la mi-octobre, parfaitement disproportionnés, le furent à d'autres fins que la sécurité des citoyens et que Pierre Elliott Trudeau, conflit fabriqué ou pas, se servit de l'occasion qui lui était offerte pour tenter de se débarrasser de tous ces séparatistes qu'il combattait depuis le début des années 1960 de façon démocratique. Pierre Elliott Trudeau, lui, affirme qu'il fut plus victime qu'acteur de la situation.

En définitive, une chose est parfaitement claire : Jean Drapeau, lui, ne se gêna pas pour profiter de la situation et remporter une victoire éclatante le 25 octobre 1970 !

La campagne

En même temps que les tribulations provoquées par le FLQ, monsieur le maire, qui ne se mêle à peu près pas de la question des opérations de crise, doit se préparer à sa réélection. Il ne fait aucun doute qu'il conservera le pouvoir.

Il fait toutefois face à deux enjeux. Le premier consiste en un renouvellement du Parti civique. Le départ de Lucien Saulnier lui donne l'occasion de revoir sa formation politique. Il en profite pour faire du ménage à sa façon et éliminer ceux qui ne se comportent pas à son goût. Il convoque des conseillers à son bureau et leur annonce tout simplement qu'ils ne sont plus requis. Certains sortent parfaitement décontenancés.

Il chambarde son Comité exécutif. Entre autres, il démet son vieil allié Gerry Snyder. Pour conserver l'appui des anglophones, il comptera entre autres sur John Lynch Staunton. C'est à ce moment qu'il choisit Gérard Niding comme futur président de l'Exécutif. Drapeau voit en lui quelqu'un de plus facile, qui résistera moins à ses impulsions. Il a raison, mais c'est un choix qu'il regrettera et qui fera de lui un homme seul.

Et puis, comme il se retrouve avec 19 postes de conseillers à combler, il recrute ses candidats avec l'aide de son organisateur J.-H. Brien. Ce n'est pas compliqué. Il repère des notables dans les différents quartiers, les convoque à son bureau et leur annonce qu'ils ont été choisis. La plupart n'ont aucune idée de ce qui vient de leur arriver, mais acceptent pour le prestige de se trouver aux côtés de Jean Drapeau.

Le deuxième défi auquel il fait face est d'une tout autre nature. Il devra composer avec une opposition nouveau genre. La fin des années 1960 a créé à Montréal son lot de groupes communautaires soucieux de faire entendre les voix des moins nantis qui sont ignorés à l'hôtel de ville. Des comités de citoyens plus ou moins bien structurés ont surgi dans les nombreux quartiers pauvres de la ville et entendent faire changer les choses.

Jean Drapeau n'aime pas entendre parler de pauvreté. Il considère qu'il est près des gens ordinaires. Certains ont même sa photo dans leur salon à côté de celle du pape. Il connaît leur réalité, entre autres par le courrier qu'il reçoit, des milliers de lettres gérées chaque année par Paul Leduc, auxquelles il répond par son intermédiaire. Il les respecte en agissant ainsi. Cela est vrai, mais ne compte que pour une partie de moins en moins importante de la réalité.

Lorsqu'on lui explique que Montréal compte plus de 400 000 chômeurs, soit un tiers de la population de la ville, et que la mortalité infantile, indice de mesure de pauvreté, est 3 fois plus élevée dans certains quartiers de Montréal qu'ailleurs au Québec, il réplique que la rénovation de logements est à son programme (*comme elle l'est depuis 10 ans sans jamais avoir lieu sérieusement*) et qu'il a fait beaucoup pour les pauvres avec l'Expo et les Expos. Il utilise plusieurs fois cette déclaration étonnante : « La vie d'une collectivité ne s'enveloppe pas dans de vieux journaux. Les citoyens sont en droit de s'attendre à une certaine pompe et à un certain apparat. Il n'y a pas de raison pour que la vie, même pour les pauvres, soit déprimante. »

Peu attiré par les questions sociales et de juste répartition de la richesse collective, le maire déconnecté, du moins en partie, affrontera donc le Front d'action politique, le FRAP, avec à sa tête le journaliste Paul Cliche. Il s'agit d'un parti de gauche appuyé par les syndicats et qui regroupe un millier de militants, une trentaine de candidats, y compris certains agitateurs très connus de la police de Montréal depuis plusieurs années. Deux autres partis, le Réveil de Montréal et le Parti de Montréal, présentent des candidats. Mais ils ne jouent aucun rôle significatif dans l'élection.

Le slogan du Parti civique laisse peu de place à interprétation : « C'est encore l'heure du courage, c'est toujours l'heure de l'expérience. » Drapeau entend bel et bien faire référence à la situation qui prévaut et démontrer qu'il se porte garant de la paix sociale. Mais il ira plus loin. La campagne se déroulant en plein bouleversement, le maire associe le FRAP aux troubles qui frappent la métropole. Il faut dire que Paul Cliche a fait l'erreur d'appuyer publiquement les idées du FLQ sans toutefois cautionner les moyens utilisés. Drapeau se sert de l'erreur de son adversaire. C'est de bonne guerre, mais il exagère de façon gênante. Il déclare ouvertement que le FRAP n'est qu'un ramassis de terroristes et de révolutionnaires. Il utilise à tel point la technique de l'association indirecte que le Parti Québécois et la Ligue des droits de l'Homme croient qu'il faut reporter l'élection car, étant donné les événements, la population ne peut pas avoir les idées claires. Drapeau ne l'entend pas ainsi et le gouvernement du Québec l'appuie.

Comme si ce n'était pas assez, le ministre fédéral Jean Marchand en rajoute à quelques jours de l'élection : « Le FRAP est une façade pour le FLQ. » Avec des déclarations comme « La campagne fera peut-être qu'il y aura du sang qui coulera dans les rues de la ville[108] », Drapeau entend asséner le coup de grâce à ses opposants.

Le FRAP aura beau poursuivre le maire en justice pour trois millions de dollars en dommages et intérêts, il n'en démordra pas et sa stratégie fonctionnera parfaitement. Le 25 octobre, pendant que 150 « prisonniers politiques » sont toujours derrière les barreaux et que les militaires canadiens assurent le bon déroulement de l'élection, Jean Drapeau sera réélu avec 92 % du vote. Cinquante et un pour cent des électeurs se seront prévalus de leur droit de vote, plus qu'aux élections précédentes. Le FRAP ne fera élire aucun candidat. Le Parti civique sera le seul parti représenté au Conseil municipal. (*Et pour la première fois, Jean Drapeau siégera sans son père qui prend sa retraite après 26 ans de service public et qui décédera quelques années plus tard.*)

Bien qu'il juge que ce résultat ait quelque chose de réconfortant, le journaliste Peter C. Newman est critique face au résultat démocratique : « La position de M. Drapeau était déjà trop celle d'un monarque dont le pouvoir est incontesté. Il est à peine concevable qu'un gouvernement à parti unique puisse être sensible aux intérêts de toute la population, et l'inclination de M. Drapeau pour la grandeur et le prestige au détriment des besoins des pauvres et des chômeurs est déjà bien établie[109]. »

Dans son discours d'acceptation, celui qui vient de gagner pour la cinquième fois ses élections ne fera pas de quartier à ses adversaires : « Les Montréalais ne veulent pas confier le gouvernement de leur ville à tous ceux qui contestent le régime dans lequel nous vivons[11]. » Plus surprenant encore, il fera référence à ce prétendu gouvernement parallèle qui n'avait été pourtant qu'un geste de la société civile pour un règlement mesuré du conflit.

Voici ce que les biographes McKenna et Purcell écrivent à ce sujet : « Au milieu d'un discours virulent, le vainqueur remercia tout à coup ses électeurs d'avoir rejeté " non seulement les attaques ouvertes des révolutionnaires, mais aussi les manœuvres visant à établir un gouvernement provisoire chargé de transmettre les pouvoirs constitutionnels au régime révolutionnaire "[111]. »

Debout sur l'estrade, derrière le maire, Lucien Saulnier fut suffoqué d'entendre celui-ci interpréter de la sorte l'histoire de Claude Ryan, une histoire qu'il lui avait confiée sous le sceau du secret, une histoire en laquelle Drapeau ne croyait même pas, au dire de Paul Leduc. «Quand le maire s'est mis à parler de gouvernement provisoire, j'en suis presque tombé assis. Je n'en croyais pas mes oreilles, raconte Lucien Saulnier. J'étais allé lui parler de ça en toute confiance, et voilà qu'il racontait l'histoire au monde entier. [...] J'étais écœuré. Je voulais quitter l'estrade, mais comment? Quelle histoire! [...] C'était terrible, ce qu'il venait de dire. Jamais je n'aurais cru qu'il aurait été capable de faire une chose pareille [...][112].»

Claude Ryan ne pardonnera jamais à Jean Drapeau de l'avoir accusé, même indirectement, de fomenter la révolution. *Le Devoir*, qui jadis avait soutenu Drapeau, deviendra un quotidien très sévère à l'endroit de l'administration municipale.

Jean Drapeau, fort de l'appui d'une population qu'il tenait dans sa main et qu'il avait rassurée par ses positions, venait de s'installer pour quatre autres années. Plusieurs observateurs de la scène considéreront qu'il s'agit de la moins belle victoire du maire. Une tache à son dossier. D'autres iront plus loin en l'accusant d'avoir utilisé de façon vicieuse la peur et l'insécurité à des fins strictement électorales. «Il aurait gagné haut la main quand même», dira Jean Doré. Drapeau, lui, ne s'en excusera jamais.

CHAPITRE 12

JEAN DRAPEAU AU BOUT DE LUI-MÊME

« Nommez-moi un seul empereur romain dont
l'histoire se souvient parce qu'il a réduit les taxes. »

Jean Drapeau
Le Devoir, 13 août 1999

À l'heure du féminisme et du syndicalisme militant, en même temps que la société québécoise vit de profondes transformations et n'en finit pas de se définir, Jean Drapeau prépare ses Jeux. Il est parfaitement à l'aise dans le monde ancien du Comité international olympique. Homme d'esprit et de bienséance, il sait pavoiser, faire rire et il peut jouer le « grand monde ». Dans cet univers de queues-de-pie et d'étoles de vison, il propose autant qu'il le peut son spectacle personnel, des attentions particulières et des gâteries à tous ces barons et faux princes qui voyagent partout dans le monde pour décider où les athlètes olympiques mettront les pieds et les mains. Il se voue corps et âme à son projet qu'il va de nouveau installer dans l'est, juste en bas de chez lui. Il semble à l'abri de tout ce qui agite sa ville. Cherche-t-il à l'éviter ?

Camilien Houde avait essayé deux fois d'obtenir les Jeux olympiques, sans succès. Jean Drapeau avait été battu une première fois à Rome en 1966 par une voix pour Munich. Pourtant, avec Gerry Snyder, le maire à la valise avait visité 24 pays en moins d'un mois dans le but de faire la cour aux distingués membres du Comité international olympique. Aidé dans son travail de relations par son fidèle bras droit Charles Roy, par un relationniste « incouchable » Jean Dupire et par un « agent » français Georges Marchais, il harnache la planète tout entière. Lors de ses rencontres, Drapeau accumule toutes sortes d'informations sur les personnalités qu'il rencontre ainsi que sur leurs conjoints, leurs secrétaires, etc. Il peut même aller jusqu'à prendre en note leurs tenues vestimentaires et leur gabarit, dans l'éventualité de futurs petits cadeaux.

Lorsque arriva mai 1970 à Amsterdam, le maire était fin prêt. En plus d'avoir préparé un excellent dossier prouvant qu'il était prêt à contrôler l'aspect financier des Jeux, il s'était servi d'Expo 67 pour gratifier à l'avance bon nombre des membres du CIO prêts à voter entre Madrid, Los Angeles, Moscou et Montréal pour la tenue des XXIᵉ olympiades en 1976. En 1968 et 1969, une agence de voyages montréalaise avait été occupée à temps plein par les déplacements du maire à l'étranger, au grand soulagement de son secrétaire particulier Paul Leduc qui n'arrivait plus à répondre aux demandes de son patron. Le 12 mai 1970 à Amsterdam, les représentants du CIO avaient eu droit à 20 tonnes de matériel d'information sur la proposition montréalaise et à une demi-douzaine d'hôtesses pouvant répondre à leurs questions en 12 langues. Après un discours brillant, travaillé jusqu'à tard dans la nuit précédente, où le tribun de la 5ᵉ Avenue donna sa parole d'honneur que les Jeux seraient loin de l'extravagance, à dimension humaine et financièrement rentable, Montréal obtint du CIO l'autorisation d'organiser les Jeux de 1976.

Après l'explosion de joie, Jean Drapeau fit organiser une grande réception au Hilton d'Amsterdam pour remercier tous ceux qui avaient contribué à ce succès. Comme aux jours de son premier mandat 20 ans plus tôt, il fit venir de Montréal des centaines de kilos de nourriture et Denis Labbé, le chef du Hélène de Champlain, pour préparer le banquet.

À son retour à Montréal on lui fit la fête à l'aéroport. Fanfare, majorettes et escouade motorisée de la police, même Mme Drapeau était présente pour l'occasion. C'est là qu'il tint sa première rencontre de presse sur les Jeux : « La Ville de Montréal mettra au point une formule réaliste qui permettra d'éviter les déficits. Cette formule réaliste fera en sorte qu'il ne sera pas chargé aux frais d'organisation les investissements de nature capitale qui n'ont rien à voir avec les Olympiques[113]. »

Dès ce jour, ils seront un certain nombre à ne pas croire ce que M. Drapeau raconte. Le politicien Marc Lalonde se souvient : « Je me rappelle très bien que j'écoutais les nouvelles à 7 heures le matin pour apprendre tout à coup que Montréal avait été choisi. Alors j'ai immédiatement appelé le premier ministre Trudeau en disant : " Écoutez, j'ai une mauvaise nouvelle. Montréal a été choisi. On n'a pas fini de passer à la casserole "[114]. »

Pour Lucien Saulnier, c'en était trop. Il n'avait pas été d'accord avec cette décision de postuler pour les Jeux. La décision ultime qu'il ruminait et qu'on appréhendait depuis plusieurs mois était devenue irrévocable. Il ne serait plus aux côtés du maire pour cette bataille.

Après l'euphorie et, il faut bien le dire, l'inquiétude manifestée par une partie de l'opinion publique quant au coût des Jeux pour un Montréal ayant de graves problèmes financiers, l'année 1970 reprend son cours bien réel et l'on n'entend pratiquement plus parler du dossier.

L'échéancier sera serré, mais Jean Drapeau, étant ce qu'il est, va réussir.

Toujours en catimini

De 1970 à 1976, Jean Drapeau multipliera les voyages souvent non annoncés en Europe, à Paris, à Québec et à Ottawa. Évidemment, ils auront toujours pour but l'organisation des Jeux. Il en fera voyager d'autres, aussi. Ce sera le cas de Gerry Snyder, de Gérard Niding, le nouveau président du Comité exécutif, du spécialiste du sport amateur Pierre Charbonneau, de l'ingénieur Claude Phaneuf et de l'influent conseiller de Robert Bourassa et grand argentier du Parti libéral, Paul Desrochers. Au printemps 1972, ils se rendirent sans bruit à Paris prendre connaissance de la création qu'avait commandée directement et en secret Jean Drapeau à l'architecte de réputation internationale Roger Taillibert : le Stade olympique. Une œuvre dérivée du parc des Princes, stade parisien de renom situé dans le XVIe arrondissement. Ce « monument », cette différence que cherche à faire encore une fois Jean Drapeau et qui sera son « Waterloo », est présenté aux membres du groupe, qui n'en croient pas leurs yeux. Ça va marcher ? Avec notre climat ?

Paul Desrochers est probablement la personne la plus importante de ce voyage. Il est de la même eau que Jean Drapeau, pour ainsi dire un nationaliste fédéraliste d'arrière-garde. Pour lui, réussir cet événement tient de l'affirmation pleine et entière des Canadiens français dans le monde. Il n'est pas le seul à penser ainsi. Plusieurs membres de ce que fut la « Patente », l'Ordre de Jacques Cartier, seront impliqués dans la réalisation des Jeux olympiques. Jean-Claude Rivest confirme pour sa part que, tout au long des années 1970 à 1975,

Paul Desrochers a protégé Jean Drapeau aux yeux du gouvernement du Québec. Il fallait qu'il réussisse.

Les Jeux olympiques de Montréal seront une affaire de francophones. Les ingénieurs et constructeurs Désourdy, Trudeau, Carrière, Lamarre, Beaudry, Duranceau et beaucoup d'autres s'y illustreront de différentes manières, dont certaines reprochables, comme le révélera la Commission Malouf en 1980.

François Godbout, le brillant tennisman, avocat et juge maintenant à la retraite qui travailla au Comité organisateur des Jeux olympiques (COJO) ainsi qu'au service du contentieux de la Ville, affirme que, même à Ottawa, on considérait les Jeux olympiques de Montréal comme une affaire essentiellement québécoise.

« J'avais un ami, Lou Lefevre, qui travaillait au cabinet du ministre John Munro (*député libéral de Hamilton Ontario de 1962 à 1984*), responsable du sport amateur dans le cabinet de Trudeau en 1970. Voici ce qu'il me raconta un jour : en 1970, au moment où Montréal obtint les Jeux à Amsterdam, Vancouver était aussi en demande pour les Jeux d'hiver. C'était une grave erreur du Comité olympique canadien que de faire les deux demandes en même temps. Il était pratiquement impossible pour le même pays d'obtenir deux Jeux à la fois. Si bien que les deux villes se retrouvèrent en compétition réelle. On dit même que des gens de la délégation de Vancouver avaient glissé dans le dossier de candidature de Montréal des photos de la résidence de Jean Drapeau au moment où elle avait explosé en 1969, de façon à faire comprendre que Montréal était trop instable pour recevoir les Jeux.

« Quand Montréal a obtenu sa décision favorable, John Munro a eu un problème sur les bras. L'Ouest canadien et les anglophones étaient en "beau maudit" contre Montréal.

« Par la suite, deux comités se sont formés pour voir à la gestion du dossier à Ottawa. Un politique et un autre formé de fonctionnaires. Lefevre faisait partie du comité des fonctionnaires et à chaque réunion il constatait un point à l'ordre du jour où tous devaient trouver des façons de mettre des bâtons dans les roues de Jean Drapeau. Pour ce qui est du comité politique, on indiqua claire-ment à M. Munro qui s'était pourtant rallié à Montréal de ne pas s'occuper de ça. Les ministres francophones comme Lalonde, Goyer et les autres allaient y voir. »

Pierre Elliott Trudeau, quant à lui, se méfie de Jean Drapeau. Il ne veut pas se retrouver dans la même situation que lors d'Expo 67, à casquer pour un événe-ment dont le fédéral ne retirera que peu de prestige. Il est donc vrai que le fédéral agit avec prudence. Mais contrairement à ce qui fut véhiculé pendant plusieurs années, le gouvernement fédéral ne sera pas responsa-ble des problèmes financiers liés aux Jeux. Du moins, c'est ce qu'affirme le journaliste Guy Pinard :

« M. Drapeau et ses acolytes ont toujours défendu la thèse voulant que le gouvernement fédéral se soit traîné les pieds dans ce dossier. Or, quand on consulte la correspondance entre le premier ministre Trudeau et le maire Drapeau (elle fait partie des archives de la Commission Malouf), il est clair que la Ville a creusé a propre fosse puisqu'elle a déposé sa demande officielle à la fin de novembre 1972, 30 mois après l'obtention des Jeux. Et il aura fallu un mois au gouvernement pour faire adopter la loi par le parlement canadien[115]. »

À Québec, le nouveau premier ministre Robert Bourassa, qui aura le maire « sur les bras » 10 fois plutôt qu'une au cours des années qui suivront, n'est pas intéressé par les Jeux olympiques. « Pour lui, dira Jean-Claude Rivest, ce n'était qu'une date de plus à mettre à son agenda (sic) de 1976. » Il faudra compter principalement sur Paul Desrochers pour s'assurer de l'appui enthousiaste du gouvernement du Québec.

Drapeau doit donc se démener sans trop d'appui politique pour ses Jeux. Voulant garder le contrôle entier sur ce projet, il en devient lentement prisonnier. Il n'y a pas à la Ville les structures nécessaires à sa réalisation. Surtout, il n'y a ni Saulnier, ni Robillard, ni L'Allier pour composer avec lui comme au temps de la construction du métro.

Petit à petit, il s'enlise, et les problèmes hors de son contrôle vont s'accumuler. Inflation galopante étant donné la crise du pétrole qui sévit au Moyen-Orient, omnipotence de certains membres de syndicats qui voient dans les Jeux olympiques la possibilité de « faire une passe » et qui exercent des chantages éhontés, cupidité et turpitude de certains grands entrepreneurs : tout cela, Jean Drapeau n'arrive pas à le contrôler.

Mais il en rajoute en voulant faire des Jeux « extraordinaires » comme il en a l'habitude avec tous ses projets. Il a beau dire : « Il est aussi impossible d'envisager un déficit olympique que pour un homme d'avoir un enfant », avec Taillibert, il tente de donner à Montréal une signature comme celles d'autres grandes villes du monde. Qu'il s'agisse du Stade, du vélodrome ou du Village olympique, le principal de l'appareil bâti utile aux Jeux olympiques va entraîner des dérapages financiers qui prendront 30 ans à être corrigés.

Qu'à cela ne tienne, Drapeau fonce. Décision est prise de séparer l'organisation des Jeux, responsabilité du Comité organisateur des Jeux olympiques (COJO), de la construction des équipements, cette partie revenant à la Ville. Sans compétence aucune, Drapeau se transforme alors en architecte, en ingénieur, en chef de chantier quand il le faut. Ce sera sa grave erreur. Au moment d'Expo 67, Drapeau laissa à d'autres l'architecture, le génie et la construction, et se concentra sur son grand talent d'idéateur, de vendeur et de relationniste. Cette fois, veut-il signer lui-même l'ensemble de l'œuvre ? Veut-il s'assurer d'aller au bout de son rêve et ne pas, par exemple, se faire voler sa tour ?

Comme au temps de sa jeunesse, il n'en dort pas, étant convaincu qu'à force de travail on parvient à tout. Mais les salves des différents groupes qui s'opposent à sa gestion du dossier se font de plus en plus fortes et répétitives, si bien que le maire, obligé de répondre aux attaques, multiplie les déclarations qui deviennent loufoques. Il a beau utiliser ses vieilles techniques comme prendre les ondes lors de son émission radiophonique dominicale pour donner sa version des faits, on sent que la pente est de plus en plus savonneuse.

Le 12 novembre 1972, à l'arrivée du président du CIO, Avery Brundage, à Dorval, Drapeau déclare :

« Les Jeux peuvent être organisés sur une échelle financière modeste. Les Jeux s'autofinanceront. Quant aux facilités (sic) associées, comme le Village olympique, elles seront construites par le biais de programmes réguliers du gouvernement. »

Le 28 novembre 1972, lors d'une tribune à CBC-TV :

« Le coût des Jeux ne dépassera pas 330 millions de dollars, et cette somme suffira pour la construction de toutes les installations. »

Le 29 janvier 1973, lors de l'annonce d'un budget cette fois de 310 millions de dollars :

« J'ai toujours dit et je le répète : les Jeux olympiques vont s'autofinancer et ils ne coûteront pas un sou de plus aux contribuables. Aussi, je rejette absolument toute possibilité de déficit, et je refuse de répondre à toute question hypothétique à ce sujet. Bien plus, vous, qui vous inquiétez actuellement d'un déficit possible, dans quelque temps, vous ferez tout votre possible pour essayer de savoir ce que nous ferons du surplus ! »

Le 2 avril 1974, durant son émission dominicale, il abaisse le budget :

« Il est vrai que le vélodrome coûtera plus cher que prévu, mais je puis vous assurer que toutes les installations ne dépasseront pas le montant de 250 millions de dollars. »

Le 17 juillet 1974, cité par *La Presse canadienne* :

« Je vous l'ai dit souvent, ne doutez pas, soyez positifs. Comme je l'ai dit souvent par le passé, il n'y a pas de problèmes, il n'y a que des solutions. Il n'y aura rien pour arrêter la construction du complexe olympique. »

Le 23 octobre 1974, à Vienne, à la session du CIO :

« J'ai toujours dit que les Jeux s'autofinanceraient et ils vont s'autofinancer. Il y a ceci de merveilleux dans la formule d'autofinancement, c'est qu'elle a été mise au point de telle façon que si l'inflation devait avoir une influence sur les coûts, la même inflation aura la même influence sur les revenus. De sorte qu'on est toujours sûr que les Jeux vont s'autofinancer. »

Le 22 janvier 1975, en commission parlementaire :

« Si tous les travaux ne sont pas complétés à temps pour les Jeux de 1976, nous ne vivrons pas assez vieux, vous et moi, pour en voir la fin. C'est tout ou rien. Ne parlons pas d'un déficit, parlons d'un écart. »

Le 8 novembre 1974, l'éditorialiste du *Devoir,* Jean-Claude Leclerc, y va de cette analyse :

« Consciente de sa faible marge de manœuvre et se souvenant des crises passées, l'administration Drapeau-

Niding, s'attendrait-on, va veiller au grain, surtout à la veille des temps durs qui s'annoncent dans l'économie nord-américaine. Mais non ! Au moment où la Ville trouve à peine de quoi payer ses employés, des nouvelles dépenses « extraordinaires » sont engagées sans qu'aucune prévision réaliste de revenus n'ait été faite ! " Les Montréalais sortiront des Jeux olympiques enrichis de nombreuses et splendides constructions qui n'auront pas grevé le trésor municipal ", déclare M. Niding.

« À supposer que le COJO rembourse à la Ville toutes les dépenses qu'elle engage dans ces constructions (220 millions de dollars déclarés au dernier rapport financier), aucun administrateur sensé ni dans la vie publique ni dans le secteur privé ne saurait affirmer qu'il ne va rien coûter aux Montréalais pour exploiter ces installations, entreprise " plus grosse que l'Expo " au dire même de M. Jean Drapeau. »

Non seulement le maire maintient qu'il est en contrôle, il persiste dans cette attitude autocrate et dictatoriale qui est probablement l'un des traits les plus caractéristiques de sa personnalité. Lorsque le ministre québécois des Affaires municipales Victor Goldbloom se lie à tous ceux qui s'opposent à l'installation du Village olympique (*une construction semblable à la station balnéaire Marina Baie des Anges à Nice*) sur une partie du parc Viau, causant l'abattage de dizaines d'ormes[117], Drapeau demande à Bourassa de remettre son ministre à sa place. Lorsque cela est fait, le maire semonce le ministre à sa manière châtiée : « Vous pardonnerez sans doute au soussigné qui est à la fois votre aîné et votre prédécesseur dans la vie publique de vous dire son intime conviction. Les efforts concertés de toutes les mouches du coche au monde ne sauraient faire bouger le bœuf de la fable ni planter un arbre[117]. » Le maire n'est pas humble dans la victoire.

L'affront

En janvier 1975, Québec apprend que le coût des Jeux s'élèvera à 580 millions de dollars. Le maire est furieux de ce « coulage ». Il faut dire que le Comité des affaires municipales de l'Assemblée municipale le convoque pour explication devant caméras au Salon Rouge. Le spectacle qu'il y fera est resté gravé dans bien des mémoires. À l'aide d'une baguette et d'une superbe maquette toute blanche représentant les installations, le maire est à la fois plaideur, professeur et vendeur. Son exposé spectaculaire sur le fait que tout est maîtrisé et que l'événement sera le plus beau de l'histoire rallie la majorité qui, semble-t-il a reçu l'ordre du premier ministre de se ranger[118].

Le RCM est critique devant le tour de passe-passe du prestidigitateur. On propose d'éliminer la construction du mât, ce qui permettait d'économiser des sommes énormes. Le maire passe outre cette proposition farfelue venue d'un « gang de gauchistes ». Depuis le temps qu'il veut voir s'ériger sa tour…

Jusque-là, Drapeau a l'appui inconditionnel de Robert Bourassa qui lui laisse carte blanche dans un dossier qui, de toute façon, ne l'allume pas vraiment. Jean-Claude Rivest se souvient de la relation que les 2 hommes entretenaient jusqu'à l'automne 1975 : « Jean Drapeau s'amenait au bureau de M. Bourassa et les deux hommes partaient marcher seul à seul sur les plaines. Ils le faisaient suffisamment souvent pour que nous ayons une expression pour décrire ce cérémonial. On disait : MM. Drapeau et Bourassa sont à Guernesey (*île anglo-normande où se réfugia Victor Hugo durant son exil de la France*). Quand il revenait, M. Drapeau avait la plupart du temps obtenu ce qu'il voulait, au grand malheur de Victor Goldbloom et de bien d'autres qui enrageaient. C'était un trait caractéristique du type de gestion de M. Bourassa. »

Robert Bourassa n'était pas qu'admiratif devant Jean Drapeau. Il savait pertinemment qu'à cette époque près des deux tiers des impôts qui étaient prélevés par Québec venaient de Montréal. Il considérait donc le maire sous plusieurs angles et n'en était jamais vraiment loin. À titre d'exemple, Robert Bourassa fut consulté plusieurs fois par Jean Drapeau lors de la préparation du budget municipal.

Ce procédé fonctionna jusqu'à ce que Bourassa, qui n'était malgré tout dupe de rien, convoque en mai 1975 une réunion en secret de Jean Drapeau, à laquelle participèrent le ministre des Finances de l'époque Raymond Garneau, le sous-ministre Claude Rouleau, l'ingénieur Bernard Lamarre et quelques autres. Voulant savoir exactement de quoi il retournait quant à la préparation des Jeux, le premier ministre demanda leur avis aux personnes présentes. Elles ne mâchèrent pas leurs mots. Le projet manquait horriblement de direction et il fallait agir en écartant M. Drapeau. Même si Robert Bourassa commençait à réaliser les implications internationales d'un échec dans l'organisation des Jeux, il n'était pas question pour lui d'affronter le maire.

De proposition de compromis en recherche de solutions, les choses continuèrent de dégénérer jusqu'à ce qu'en novembre un nouvel avis fût donné au premier ministre à l'effet que si les choses n'étaient pas reprises en main, plusieurs sections des installations ne seraient pas prêtes à temps.

Constatant la situation parsemée de grèves, d'arrêts de travail et de sabotage, Robert Bourassa n'eut plus le choix. Il appela personnellement Gérard Niding pour lui annoncer que la participation du maire et de la Ville de Montréal dans les Jeux olympiques venait de prendre fin. « Ce fut la pire crise de mon mandat », déclarera Robert Bourassa[119]. Il est vrai qu'il n'en dormait plus. Le 19 novembre, l'Assemblée nationale adopta la loi créant la Régie des installations olympiques et l'on nomma président Claude Rouleau, sous-ministre des Transports, ingénieur et entrepreneur chevronné. La première chose qu'il fit fut d'interdire toute nouvelle intervention de Roger Taillibert dans le dossier. « C'est Claude Rouleau qui sauva les Olympiques », soutient encore aujourd'hui Jean-Claude Rivest. Cet avis est partagé par de nombreux observateurs.

Jean Drapeau venait de subir la pire rebuffade de sa carrière. Lorsqu'il apprit que les Jeux allaient s'ouvrir sans que le mât du stade fût complété, il en fut effondré. Lawrence Hannigan se souvient que jamais il ne vit Jean Drapeau souffrir autant que durant cette période. Mais ce bougre d'homme, après avoir encaissé le choc, continua de se battre, sans succès toutefois, pour réintégrer Roger Taillibert et tenter de faire en sorte que le mât du stade, « son mât » tant rêvé depuis 10 ans, soit construit.

Chose exceptionnelle, il eut à subir des critiques de son parti. « Il va falloir penser à une période d'austérité et s'occuper d'abord des affaires municipales. Au sujet des grands projets, même s'ils apportent beaucoup, on doit se poser une question : est-ce le rôle d'une ville[120] ? », déclare Yvon Lamarre à Claude Turcotte de *La Presse* en prenant bien soin de préciser que cette prise de position est la sienne et non celle du parti. Ce faisant, il annonce ce que sera son orientation future au sein du parti.

Plutôt que de trouver une façon élégante d'accepter la défaite, le maire Drapeau alla jusqu'à expliquer lors d'une émission à Télé-Métropole que l'idée de créer la Régie des installations olympiques était la sienne et qu'il ne fallait plus s'inquiéter. Maintenant que ce geste était accompli, tout allait être prêt à temps !

Batailleur infatigable, il ne reculait devant rien, dans la mesure de ses nouveaux moyens, pour faire des Jeux un événement prestigieux. Jusqu'à la fin, pilant sur son orgueil, il continua de s'associer le plus possible au projet, allant jusqu'à visiter le chantier pratiquement bras dessus, bras dessous avec Victor Goldbloom pour démontrer à la population que tout allait bien.

Obnubilé par la sauvegarde de la prestance des Jeux, il fit démanteler en pleine nuit les installations artistiques « sans goût et sans valeur » de l'exposition extérieure Corridart qui prenait place le long de la rue Sherbrooke, non loin du Stade et du Village olympiques. La Ville et le COJO seront poursuivis en Cour supérieure par les 13 artistes lésés par cette décision arbitraire.

Incroyable Drapeau

Le 17 juillet 1976, Jean Drapeau fut ovationné pendant plusieurs minutes par les 65 000 spectateurs présents à la cérémonie officielle d'ouverture des Jeux. Dans un stade à moitié fini, le petit guerrier à lunettes qui avait reçu suffisamment de coups pour faire tomber le plus encaisseur des boxeurs de la planète se tenait debout, les larmes aux yeux. Il venait de voler le spectacle à tous les autres dignitaires.

Les Jeux furent un grand succès d'organisation, salué partout dans le monde. Plus de 6000 athlètes de 92 nations (*Taïwan et 29 pays africains boycottèrent les Jeux*) s'exécutèrent sur 27 sites lors de 98 épreuves de

21 disciplines différentes auxquelles assistèrent 3 millions et demi de spectateurs. Toutefois, à l'échelle internationale, l'ensemble de l'événement, tout de même le plus important au monde, plus que la cérémonie des Oscars ou le Mundial de soccer, n'eut pas les mêmes retombées pour Montréal que Terre des Hommes. Un écho de mauvaise gestion du projet rebondit çà et là. Je me souviendrai toujours du jour où, à Paris, j'achetai un petit bouquin, perdu depuis : *Les plus grandes erreurs du monde*. Quelle ne fut pas ma surprise de voir que le Stade olympique comptait parmi celles-là !

Jean Drapeau paya de sa personne la tenue des Jeux olympiques. À partir de la fin des Jeux, il perdit une bonne partie de sa crédibilité. Il faut dire qu'en moins de cinq ans il avait annoncé au moins cinq fois un budget définitif des Jeux, à la baisse autant qu'à la hausse. Devant le Comité olympique canadien en 1970, Jean Drapeau se défendit en disant qu'il était possible de tenir les Jeux à l'intérieur d'un budget de 120 millions de dollars. Quelques mois plus tard à Amsterdam, il s'agissait de 180 millions de dollars. Le budget avancé devant le gouvernement fédéral quelques années plus tard fut de 310 millions et ainsi de suite jusqu'à plus d'un milliard et demi de dollars, coût final des Jeux[121]. Il fallut aux fumeurs québécois 30 ans pour rembourser la dette olympique à partir d'une taxe spéciale sur le tabac. « L'équivalent d'une hypothèque sur une résidence », disent les défenseurs de Jean Drapeau.

Encore aujourd'hui, il se trouve de nombreux observateurs pour défendre Jean Drapeau et sa décision d'organiser ses Olympiques. Il est vrai que, grâce aux Jeux, le nom de Montréal a continué d'être vu et entendu à l'échelle planétaire. Il est vrai qu'il existe maintenant une culture du sport amateur, richesse collective indéniable, et des équipements municipaux de qualité qui ne seraient probablement pas si les Jeux olympiques n'avaient pas eu lieu. Le Parc olympique a accueilli plus de 100 millions de visiteurs depuis 1976. Mais la Régie des installations olympiques (RIO) enregistre déficit par-dessus déficit.

Il est vrai aussi que le traitement médiatique des Jeux a souvent été à la limite de l'acceptable, à courte vue, et qu'au total la prestation montréalaise ne fut pas si mauvaise si on considère le bilan d'autres villes organisatrices, avant et après les Jeux de Montréal.

Parmi les retombées positives des Jeux s'en trouve une moins connue que les autres, qui mérite d'être relevée. Après les Olympiques, des gymnastes se regroupèrent au Centre Immaculée-Conception situé sur le Plateau-Mont-Royal pour continuer de s'entraîner à différentes disciplines. En même temps, dans les mêmes locaux, des artistes de rue, sous l'impulsion de Guy Caron, s'employaient à fonder ce qui devint l'École nationale de cirque et qui avait besoin d'acrobates et d'athlètes. Ces deux groupes se réunirent et furent invités par la suite par Guy Laliberté, en collaboration avec les Échassiers de Baie-Saint-Paul et un groupe de musiciens de Québec appelé la Fanfafonie, à participer au Cirque du Soleil.

Mais tout cela fut beaucoup trop cher payé.

Le Stade ne fut jamais ce qu'on avait dit qu'il serait. Certes, il constitue aujourd'hui une attraction et un emblème de Montréal. Mais son utilisation s'avère laborieuse. Et puis la saga du mât et du toit du Stade a largement contribué à ternir l'image de ce projet. Installée en 1987, la toile rétractable du concept initial de Roger Taillibert ne fut activée que 75 fois. Le système fonctionnant trop mal, on installa en 1997 un toit fixe qui lui aussi posa problème. M. Taillibert considère toujours que si on s'en était tenu aux plans originaux, rien de cela ne serait survenu.

Qu'en est-il des pyramides olympiques ? Selon Guy Legault, il s'agit toujours d'une erreur sur le plan urbanistique. Cela dit, le complexe immobilier de 1000 logements qui en résulta comporte des qualités et des défauts. Il fut vendu au secteur privé au tournant de l'an 2000 à un coût plus bas que celui de sa construction en 1976.

Le vélodrome, dont les coûts de construction se multiplièrent par cinq, est devenu le Biodôme, un équipement de vulgarisation scientifique de qualité, aménagé au coût supplémentaire de 50 millions de dollars, cadeau du gouvernement du Québec lors du 350e anniversaire de Montréal.

Un capital quasi indestructible

Malgré ses lubies, ses frasques et le nouveau gouffre financier dans lequel Jean Drapeau venait d'entraîner les citoyens, les Montréalais continuèrent de lui signifier leur affection et leur admiration. On peut reprocher des millions de choses aux politiciens, mais quand ils sont honnêtes, se tiennent debout et font preuve de courage, les plus grands écarts leur sont permis. Dans la tourmente totale, il était resté fidèle à lui-même pour le meilleur et pour le pire.

Toutefois, contrairement à l'exposition universelle, le maire de Montréal ne put pas poursuivre sur cette lancée. Après les Olympiques, Jean Drapeau n'eut plus jamais le vent dans les voiles. Quelques mois plus tard, un changement de gouvernement à Québec allait modifier considérablement les relations entre Montréal et la capitale. Au sein du Parti civique, pour d'aucuns, il était temps de commencer à contrôler le visionnaire.

CHAPITRE 13

LA FIN DE LA CAVALCADE EN SOLITAIRE

1971. Montréal continue de construire. Des tours à bureaux et d'habitation viennent remplacer des taudis. Pour l'administration en place comme pour beaucoup d'autres en Amérique du Nord, la conservation, la rénovation et le maintien de ce qu'on appellera plus tard les tissus urbains ne sont pas à l'ordre du jour. Il faut bien protéger quelques vestiges du passé, mais il faut avant tout du neuf et du solide. Drapeau et Niding poursuivent dans la voie du progrès et du modernisme des années 1960.

Au cours des années 1970 s'érigent le complexe Desjardins et la tour de Radio-Canada pour laquelle on a sacrifié le quartier que l'on sait. Toujours dans l'est, Place Dupuis vient remplacer le célèbre magasin Dupuis frères, symbole de la réussite commerçante canadienne-française avec le quincaillier Omer de Serres. S'érige aussi le complexe Guy-Favreau, du nom du ministre fédéral éclaboussé dans l'affaire Lucien Rivard en 1965[122].

De nouveaux hôtels accueilleront les visiteurs lors des Jeux olympiques. C'est le cas du Quatre-Saisons et de l'hôtel de la Montagne. Mais avec la construction du Dauphin face au parc Lafontaine et surtout des complexes du Parc et de la Cité, tours d'habitation et de commerce, les développeurs, en parfaite osmose avec l'administration, mettent le feu aux poudres. (*Une grande bataille citoyenne appelée la bataille de Milton Park aura lieu autour du développement de ces derniers projets.*) À la Ville, qui procède toujours sans plan d'urbanisme ou d'aménagement défini, il est à peu près aussi facile d'obtenir un permis de démolition qu'un ticket de métro.

Au grand malheur de Jean Drapeau, les organismes Sauvons Montréal et Héritage Montréal (1973-1974) commenceront un combat qui continue toujours pour la préservation du patrimoine bâti montréalais. L'action de ces 2 groupes aux racines anglophones se cristallisera autour de la démolition, en 1973, de la maison Van Horne datant de 1871, située rue Sherbrooke Ouest en plein cœur du Golden Square Mile, quartier de grande valeur patrimoniale et architecturale. La bataille qui commence pour la préservation du « Montréal bâti » permettra l'union des deux « solitudes » montréalaises, si indispensables au véritable développement de la ville.

La Fédération québécoise de cyclotourisme (1973), qui deviendra la formidable organisation Vélo Québec (1979), se fait aussi de plus en plus présente. Considéré pendant très longtemps comme un groupe marginal peuplé d'« originaux », ce mouvement jouera un rôle prépondérant dans la place que prendra le vélo dans la ville. Montréal deviendra sous son impulsion une des principales villes cyclables en Amérique.

C'est aussi à cette époque que le discours de l'économiste urbaniste Jane Jacobs commence à se faire entendre et que débute ce que l'on a appelé « la crise de l'aménagement ». « Les autoroutes tuent les villes ! » « Place aux piétons ! » « Vive la mixité des milieux ! » Tous ces énoncés qui semblent plutôt anodins de nos jours sont totalement farfelus à l'époque, du moins à l'hôtel de ville.

On a beaucoup décrié l'action moderniste et fonctionnaliste de l'administration Drapeau en matière d'aménagement de la ville. Voici ce qu'en dit de façon intéressante le professeur en architecture André Lortie : « L'urbanisme et l'architecture des années 1960 et 1970 ont souvent été décriés. Portés par un optimisme ravageur, il est vrai qu'ils ont laissé plus d'une ville éventrée, traversée de voies autoroutières, orpheline de quartiers populaires rénovés... À certains égards, Montréal n'échappe pas à la règle. Et, pourtant, si d'aucuns considèrent le legs de cette époque comme catastrophique, les mêmes s'accordent à lui reconnaître des qualités exceptionnelles, telles que son réseau souterrain de galeries commerciales, son métro, certains immeubles remarquables et la vitalité d'un centre-ville où se côtoient actifs et résidents, classes sociales et cultures diverses. Et, force est de constater que les Montréalais s'identifient aujourd'hui autant à la ville populaire et historique qu'à celle, moderne, dont la structure et la forme ont été conçues dans les décennies après la Seconde Guerre mondiale[123]. »

Métropole de second rang

Pendant que la croissance démographique s'essouffle, Montréal vit sa dernière séquence de développement. Grâce aux « facilités » que leur offre la Ville, les promoteurs et investisseurs y trouvent un terreau fertile. Mais la croissance économique réelle est faible et subit une profonde restructuration.

Vancouver est devenue le premier port du pays. Contrairement à ce qui avait été prévu, l'ouverture de l'aéroport de Mirabel (1975) n'aidera pas non plus

Montréal. Les industries manufacturières traditionnelles sont anémiques. Il faudra de nombreux investissements dans les domaines pharmaceutique, informatique et aéronautique pour compenser ces pertes.

La ville continue à perdre du terrain au profit des banlieues, des rives sud et nord. Mis à part le grand dossier olympique qui de toute façon portera sa propre charge négative, un climat de morosité va s'installer petit à petit dans toute la ville. Au cours de ces années, les Montréalais vont donc s'employer à se réapproprier leur ville « en misant sur ses forces internes et sur son patrimoine[124]. »

Si ce n'était du phénomène d'affirmation francophone et de l'émergence du Québec inc. amenant des grands du domaine financier, comme la Caisse de dépôt, la Laurentienne et Desjardins, et du domaine du génie, comme Lavalin et SNC, à s'installer « en ville » durant la décennie à venir, la situation pourrait être dramatique.

Pendant que la municipalité se francise et que le métro s'allonge pour accueillir de plus en plus de représentants des communautés culturelles se crée la Communauté urbaine de Montréal, avec à sa tête Lucien Saulnier, nouvelle entité administrative qui regroupe en une sorte de gouvernement régional les différentes municipalités de l'île. Cette nouvelle structure n'a jamais plu à Jean Drapeau, qui aurait voulu coordonner lui-même l'action insulaire formée en une seule municipalité. Mais il ne dédaigne pas que la CUM s'occupe de la police, du transport en commun, de l'évaluation foncière, du schéma d'aménagement et des questions environnementales, éléments dispendieux qui pourraient lui voler beaucoup de temps précieux qu'il peut consacrer à la réalisation de projets d'envergure. Du moment qu'il peut encore avoir le dernier mot sur les décisions de cette nouvelle entité administrative, ça peut toujours aller. Il apprendra que ce n'est pas si simple, surtout quand c'est Lucien Saulnier qui dirige.

Les repas bleus

Après l'élection de 1970, le maire est fortement installé au pouvoir. Il est en poste depuis une décennie et ne voit rien à l'horizon qui pourrait le gêner dans ses ambitions. Cela ne l'empêche pas de demeurer le travailleur infatigable qu'il sera toujours et de s'attaquer à encore plus grand et plus gros. Il lui arrive aussi d'être petit, comme quand il fait adopter ce règlement municipal qui interdit les boîtes de distribution et de vente de journaux sur le territoire de la ville, prétendument inesthétiques, alors qu'on sait très bien qu'il s'offre une petite vengeance personnelle à l'endroit de la presse écrite avec qui il entretient des rapports de plus en plus mauvais et distants.

Les sommes dont disposent Drapeau et Niding pour administrer la Ville ont augmenté considérablement. « Il n'est que de comparer les rapports du directeur des finances pour 1964 et 1974 pour constater qu'en 10 ans le budget a augmenté de 131 %. Les recettes foncières sont passées de 54 à plus de 140 millions de dollars. La taxe d'eau a été multipliée par plus de deux. De même, les revenus tirés de la taxe de vente ont augmenté de plus de 100 %[125]. » Pourtant, la Ville est toujours en manque d'argent.

Quelquefois, pour se changer les idées, Jean Drapeau fait comme tous les politiciens : il jase politique. De façon informelle mais régulière, il prend ses repas de midi avec un groupe agréable de « bleus » avec qui il est à l'aise. Brian Mulroney, qui est à l'époque avocat chez Ogilvy Renault, John Lynch Staunton, alors vice-président du Comité exécutif, et Lawrence Hannigan sont les élus de ce joyeux « club sélect du maire ». (*M. Hannigan fut candidat à l'élection de 1984 pour les conservateurs, et M. Lynch Staunton nommé au Sénat par Brian Mulroney en 1993.*)

Brian Mulroney se souvient : « Pendant que nous buvions nos scotchs, M. Drapeau sirotait son verre de vin. Nous parlions de tout. De grandes et de petites choses. M. Drapeau était un homme d'esprit, de grande culture et de nature enjouée. Ce furent des bons moments. »

Lawrence Hannigan, lui, considère que ces rencontres qui se tenaient au restaurant La Marée, au Beaver Club ou au Château Champlain aidaient le maire à se libérer de la pression, car il en avait beaucoup. « On peut en douter, mais Jean Drapeau aimait beaucoup s'amuser et taquiner. Il prenait plaisir en privé à caricaturer les politiciens qu'il avait rencontrés. C'était aussi un amateur de jeux de mots et un joueur de tours. Pour lui, ces rendez-vous étaient une occasion de détente. Il se sentait en confiance avec nous. Il était évidemment la vedette de ces repas où rien de professionnel ne se discutait vraiment. »

Roger D. Landry, grand ami de M. Drapeau qui fit ses premières armes à l'exposition universelle, travailla au marketing des Expos de Montréal et fut l'éditeur du journal *La Presse*, raconta un jour le tour que le maire lui joua au moment où ils se trouvaient ensemble à Rome en 1982 pour la béatification du frère André :

« Lors d'une réception, une dame s'approche du maire et lui dit qu'elle doit absolument parler à Camille Laurin. Elle avait, semble-t-il, des reproches à faire à la loi 101 (Charte de la langue française). En bon joueur de tours, le maire lui a d'abord demandé si elle connaissait Laurin. Lorsqu'elle lui a indiqué que non, il lui a offert d'arranger ça et il l'a dirigée vers moi. J'ai eu toutes les misères du monde à convaincre la dame que ce n'était pas moi et que n'avais rien à faire avec la loi 101[126]! »

Brian Mulroney, comme Robert Bourassa et plusieurs autres politiciens canadiens, vouera une admiration certaine et une grande affection au maire. En 1986, après la démission de Jean Drapeau, M. Mulroney lui offrira un grand dîner au 24, Sussex Drive, sa résidence à titre de premier ministre du Canada. C'est à ce moment que lui viendra l'idée de le nommer ambassadeur à l'UNESCO.

L'élection rouge

En 1974, pendant que le maire lui-même s'échine à dérouler et à déchiffrer des plans de stade à son bureau, naît le Rassemblement des citoyens et citoyennes de Montréal, présidé par une femme de grande valeur, Léa Cousineau, qui deviendra présidente du Comité exécutif en 1990. Jean Doré en est le trésorier. Au départ, même s'il s'agit d'une année électorale, ce regroupement n'attire pas vraiment l'attention du Parti civique. Pourtant, il s'agit d'un mouvement qui ratisse large partout à Montréal. Il regroupe des gens de l'est autant que de l'ouest de la ville. Il a des racines dans la communauté juive. Plusieurs de ses membres viennent des quartiers Notre-Dame-de-Grâce, Côte-des-Neiges autant que du Plateau-Mont-Royal et de Hochelaga-Maisonneuve.

Sa faiblesse tient au fait qu'il ne représente pas les classes commerçantes et d'affaires de la ville. C'est un parti de centre gauche. Il comprend des socialistes, des militants du Parti Québécois et du Nouveau Parti démocratique, tant des femmes que des hommes. Toutefois, il a peu ou sinon rien à voir avec le radical FRAP de 1970. Bien sûr, Nick Auf der Maur, le journaliste activiste, en fait partie, mais, essentiellement, le RCM est un groupe citoyen déterminé à faire passer Montréal à une autre étape, loin de la modernité et du développement à outrance, plus proche d'une recherche de qualité de vie équilibrée pour l'ensemble des citoyens. Le RCM, adepte de la démocratisation et de la décentralisation des pouvoirs, vivra plus de 20 ans, presque aussi longtemps que le Parti civique de Jean Drapeau, et sera le parti politique le plus crédible à avoir existé dans l'histoire de la ville. En préparation de la campagne électorale, le jésuite Jacques Couture en devient le candidat à la mairie.

Le maire ne saisit pas bien la force de cette opposition qui, dès son entrée sur la place publique, critique sévèrement sa gestion, particulièrement celle du dossier olympique qui va de retard en dépassement. Elle est appuyée en cela par le *Devoir* et, indirectement, par le journaliste de *La Presse*, Guy Pinard, qui suivra à la trace tout le dossier des Jeux.

Son parti n'est plus aussi uni qu'il l'était. Par exemple, Yvon Lamarre prend ses distances, et trois conseillers démissionnent dans le but de dénoncer la dégradation de la situation financière de la Ville.

Sur un autre plan, Drapeau éprouve des problèmes en matière de relations de travail. Les grèves dans le transport en commun font rage. Lawrence Hannigan, membre de l'Exécutif et président de la CTCUM (*aujourd'hui STM*), se débat avec Québec pour trouver les sommes nécessaires au règlement des conflits. Plus encore, à la veille des élections de novembre, la Ville a maille à partir avec un groupe de ses employés qui a un pouvoir énorme : les pompiers.

Ces derniers, en négociation, revendiquent des augmentations de salaire accolées à l'inflation qui se situe à ce moment à plus de 10 %. La Ville n'a absolument pas les moyens de répondre à ces demandes. Un arbitre appelé à trancher le litige propose 4,3 %. C'est l'insulte faite aux sapeurs pompiers. Ils entrent en grève le 31 octobre. L'élection aura lieu le 10 novembre. Durant le week-end du 2 et du 3 novembre, 140 résidences, pour la plupart dans le Centre-Sud de la ville, sont incendiées de façon criminelle. Cent trente et un édifices sont détruits. Les pompiers ne sont même pas dans les casernes.

Jean Cournoyer, alors ministre du Travail de Robert Bourassa, raconte : « Jean Drapeau s'est transformé en juriste. Il disait qu'il ne pouvait pas aller au-delà d'une sentence arbitrale et donner plus à ses pompiers. Le samedi 2 novembre, au plus fort de la grève, le premier ministre a demandé une rencontre spéciale. Drapeau était dans un bureau avec son chef du contentieux, Michel Côté, attenant à celui de Robert [Bourassa] à Hydro Québec (*les bureaux du premier ministre étaient situés dans cet immeuble à l'époque*). Ils attendaient pendant que je négociais avec le syndicat. De ma fenêtre, je voyais la ville brûler. Je n'en revenais pas. Je me disais que Néron avait fait ça avec Rome. Alors M. Bourassa a demandé qu'on règle ça. Jean Drapeau n'a pas bougé. Il a attendu et, finalement, c'est nous qui avons payé[127]. »

Lawrence Hannigan se souvient de ce samedi soir terrible. « Nous étions plusieurs à attendre les résultats dans la salle de l'Exécutif. Le maire allait et venait. Il nous faisait part des résultats des négociations. Un mot de plus par ici, un de moins par là dans les textes d'entente. Ils ergotaient sur des paragraphes pendant qu'il y avait littéralement le feu. La situation avait quelque chose de dramatiquement ridicule. La tension était forte et M. Drapeau était livide. Finalement, en pleine nuit, un règlement est intervenu. Et c'est Québec qui a payé. Jean Drapeau n'a pas participé à la négociation. » (*À la suite du week-end rouge, l'Association des pompiers de Montréal sera comdamnée à indemniser les victimes des incendies non combattus pour plus de un million de dollars.*)

Jean Drapeau venait de faire sauver quelques millions à sa ville, mais à quel prix pour des centaines de citoyens? Dans l'opinion générale, la faute incombera au syndicat. Le maire, lui, aura fait preuve de dureté. « Mais c'est comme ça qu'on l'aime », aurait probablement dit une grande partie de la population montréalaise.

L'éditorialiste du *Devoir* Jean-Claude Leclerc explique : « Drapeau s'est servi d'une technique électorale qu'il connaissait bien. Je ne dirais pas qu'il a mis le feu aux habitations, mais le chaos le servait bien. Plus ça allait mal à Montréal, plus les gens avaient tendance à voter pour lui. On voulait un homme fort à la tête de la Ville. Alors il ne dédaignait pas laisser dégénérer. À l'époque, le *Devoir* voulait se débarrasser de Jean Drapeau. Je me souviens que Claude Ryan a travaillé à créer un putsch au sein du Parti civique. Moi, j'ai beaucoup appuyé la création du RCM. Nous voulions une force démocratique qui serait autre chose que radicale et qui proposerait des changements qui étaient autre chose que du paraître. Plusieurs réunions de stratégie avec les membres du nouveau parti eurent lieu chez moi rue Saint-Denis. Notre stratégie était simple et bonne, nous ne demandions pas le pouvoir, nous proposions seulement d'élire une opposition solide. Durant le conflit des pompiers, nous étions en communication constante avec les syndicats et nous avions aussi des entrées chez

Jean Cournoyer. Nous voulions que ça se règle, car, plus ça allait mal, plus Drapeau avait des chances de l'emporter. C'était aussi simple que ça. »

Jean Drapeau fut surpris par le résultat de l'élection du 10 novembre 1974 qui lui fit perdre de bons « hommes » dont John Lynch Staunton. Il avait eu beau utiliser ses techniques traditionnelles, évitant les rencontres avec la presse et achetant du temps d'antenne radio et télévision, c'était pratiquement une défaite. Gérard Niding et Yvon Lamarre furent toutefois réélus.

Le RCM fit une véritable percée, faisant élire 18 candidats, dont 3 femmes. Jacques Couture obtint plus de 100 000 votes contre Drapeau qui rafla tout de même la mise avec 142 205 voix. Le taux de participation fut de 37 %, beaucoup moins qu'à l'élection précédente. Les mines déconfites observées le soir de l'élection au quartier général du Parti civique rue Saint-Denis laissaient voir clairement que ce résultat n'avait pas été prévu.

« C'est la fin du pouvoir absolu et le commencement d'un réveil[128] », souligna Marcel Adam. Une bonne partie de l'opinion se réjouit de l'arrivée d'un parti d'opposition à l'hôtel de ville. Peut-être qu'enfin Jean Drapeau allait devenir « contrôlable » ? Mais le maire leur réservait encore quelques surprises.

Le monde politique change

Le maire a beau se plaindre de l'abstentionnisme des électeurs montréalais pour expliquer sa courte victoire, il doit composer avec une opposition nouveau genre au Conseil. Il devra accepter entre autres, bien qu'il l'ait interdit, que les femmes portent le pantalon lors des séances. Thérèse Daviau, jeune conseillère du RCM qui n'a pas froid aux yeux, mène la danse et provoque souvent le maire. Nick Auf der Maur et Michael Fainstat ne lâchent pas Gérard Niding d'une semelle sur les questions budgétaires, d'aménagement, d'habitation, ni bien sûr le maire, quand il est là, à propos des Olympiques.

Comme s'il s'agissait d'une affaire d'État, on demande qu'une période de questions du public ait lieu avant chaque séance du Conseil. Le maire livrera une longue bataille mesquine avant de céder. Adepte de la démocratie « disciplinée » il déteste cette idée de donner le pouvoir aux citoyens. Cela, selon lui, ne peut mener qu'à une perte de contrôle. Celui qui considère les périodes de questions aux parlements d'Ottawa et de Québec comme « des pertes de temps à 99,9 % » déclare : « J'estime que ce qui est dangereux pour le système démocratique, c'est lorsque la marche du progrès est entravée par la perte de temps occasionnée par les insultes et les manœuvres de politiciens sans envergure[129]. »

Mais par-dessus tout, Jean Drapeau aime la bataille politique lorsqu'elle se joue par des gens articulés et intelligents. On le verra quelquefois durant ces années s'amuser au Conseil lors de certains échanges avec Fainstat ou Auf der Maur.

Après les péripéties olympiques arrive le 15 novembre 1976, l'un des plus spectaculaires coups de tonnerre politique de l'histoire politique du Québec : l'élection du Parti Québécois. À son arrivée au pouvoir, le parti, pourtant dirigé par René Lévesque, un homme qui avait tissé avec le maire des liens professionnels importants au début des années 1960 (*mais qui se désagrégèrent au moment de la crise d'octobre*) ne se montra pas impressionné par le célèbre politicien de Montréal. Guy Tardif, ministre des Affaires municipales, et Claude Charron, un Montréalais pure laine nommé ministre responsable des Loisirs et des Sports ayant hérité du dossier olympique, n'étaient pas de ceux qui vouaient cette admiration sans borne au maire. Ils n'étaient pas issus de la cuisse de l'Ordre de Jacques-Cartier. Ils étaient tout simplement indépendantistes. Et puis, pour le nouveau gouvernement, Drapeau, c'était aussi un peu l'ancien gouvernement. Pas question de le ménager.

C'est alors que le *post-partum* olympique commença. On força Montréal à emprunter 214 millions de dollars pour rembourser sa part du déficit des Jeux. Claude Charron annonça la formation d'un comité spécial pour se pencher sur le cas des Jeux sans y inviter le maire. Plus encore, on annonça la création d'une commission d'enquête présidée par le juge en chef de la Cour supérieure du Québec, Albert Malouf, qui allait être chargé de faire la lumière sur les dépassements de coûts et l'existence possible de collusion, de trafic d'influence ou de manœuvres frauduleuses lors de la réalisation des Jeux. Le juge Malouf allait mettre trois ans à déposer son rapport.

L'élection de 1978

L'annonce de cette enquête allait-elle avoir une influence sur la suite des choses, y compris sur l'élection municipale de 1978 ? Pour la première fois de sa carrière, le maire eut à se débattre contre des allégations de malversations visant l'un de ses coéquipiers. Lors de la période préparatoire aux Olympiques, on avait appris que le président du Comité exécutif, Gérard Niding, s'était peut-être fait construire une maison gratuitement à Bromont par un des entrepreneurs impliqués.

En plein début de campagne électorale, l'affaire ressurgit dans *La Presse* sous la signature du journaliste spécialisé en affaires criminelles, Michel Auger. Cette fois, on apprit que Régis Trudeau venait tout juste de faire parvenir une facture de 129 000 $ à M. Niding pour la construction de la maison en question, qui n'était toujours pas complétée.

Jusque-là, M. Drapeau s'était contenté d'affirmer qu'il ne savait rien de cette histoire. En cercle plus privé, il disait : « Gérard Niding n'est pas assez fou pour se faire offrir une maison en pot-de-vin. C'est trop gros[130]. »

Mais lorsque l'affaire rebondit, le maire devint beaucoup plus irritable. Un jour de campagne, alors qu'il accordait une entrevue à la station de télévision CFCF depuis sa résidence de l'avenue des Plaines, le journaliste osa aborder la question avec « son Honneur ». Ce dernier se leva d'un trait, arracha son microphone et mit tout le monde à la porte de sa maison.

Dans les jours qui suivirent, on apprit qu'après discussion avec le maire Gérard Niding se retirait de la vie politique. Lui qui était associé au maire depuis 20 ans ne se présenta pas à l'élection qui arrivait à grands pas.

Un de parti, un autre de trouvé. Après Desmarais, Saulnier et Niding, Jean Drapeau allait compter sur Yvon Lamarre comme numéro deux. Cet administrateur efficace, indépendant, à la personnalité plutôt effacée, amène du neuf au Parti civique. Il défend des projets moins grandioses, certes, mais qui ont l'heur de plaire à l'électorat. Habitation, embellissement, revitalisation de quartiers. Jean Drapeau, qui est sur le terrain plus que jamais à cette élection de façon à ne pas subir une rebuffade semblable à 1974, le suit sans grand enthousiasme dans cette voie qui semble « rentable » électoralement parlant. Il voit aussi à courtiser les communautés culturelles de la métropole. « Si on ne comprend pas que Montréal est une ville de minorités, on ne comprend rien à Montréal », dit-il souvent. Le Parti civique compte aussi plusieurs candidates. Mme Drapeau, comme à son habitude, reprend du service pour la campagne électorale. Elle est présente très souvent lors des discours et assemblées pour serrer des mains et applaudir le père de ses enfants.

À quelques jours de l'élection, un sondage CROP-Radio-Canada démontre que Jean Drapeau, fait quasi incroyable, est fortement en avance. Les Montréalais ont une haute opinion de leurs services municipaux (transport en commun, incendies, enlèvement des ordures, etc.) et du maire. Ils sont toutefois insatisfaits de l'état des finances de la Ville, de leur compte de taxes et de la circulation des bicyclettes! Dans les médias, on commence à parler de l'idole d'un peuple, d'un maire perpétuel. Ce résultat a de quoi fasciner. L'usure du temps ne semble pas s'attaquer au maire.

Il faut dire toutefois que le RCM, avec Guy Duquette à sa tête, vit de fortes dissensions entre réformistes et gauchistes. Et puis un autre parti plus au centre, le GAM, s'est formé avec à sa tête un politicien de bonne envergure, Serge Joyal, et plusieurs dissidents du RCM. Tout cela, ajouté à de nouveaux changements à la carte et aux règles électorales, contribue à changer et à diviser le vote.

Pour la septième fois

Le dimanche 12 novembre, Drapeau a encore gagné. Il ne reste plus que Michel Fainstat et Nick Auf der Maur pour faire office d'opposition au Conseil municipal. À Québec, on s'inquiète de cette forte victoire qui est interprétée comme un appui au conservatisme et au fédéralisme. Drapeau l'a bien compris.

Dans une élection où 50 % des électeurs inscrits se sont prévalus de leur droit, le Parti civique a raflé 52 des 54 sièges et le maire a obtenu plus de 60 % du vote. Après avoir déclaré que ce résultat lui donne « un mandat comme je les aime : clair, fort et net », l'indestructible Jean Drapeau prend soin de féliciter ses adversaires et de souligner l'arrivée de trois femmes au sein du Parti civique. Et voilà pour la nouveauté !

CHAPITRE 14

QUAND LE CHEVALIER PERD SA MONTURE

Jean Drapeau est dans l'arène publique depuis plus de 30 ans. Il n'est plus le réformateur qu'il était dans les années 1950, ni le moderniste qu'il fut dans les années 1960. Depuis la fin des années 1970, il recule face aux nouveaux courants, s'y oppose ou se tient à l'écart. « Jean Drapeau était un homme de progrès, mais pas de changement, soutient André Lavallée, pilier du RCM et aujourd'hui maire de l'arrondissement Rosemont-La Petite-Patrie siégeant aussi au Comité exécutif. Il n'a pas réagi aux nouvelles tendances, avec l'ouverture de la voie maritime du Saint-Laurent, le départ massif des raffineries et la création de Mirabel, il n'a pas ajusté sa stratégie à l'économie[131]. »

Les années qui vont suivre sont empreintes d'une certaine tristesse pour le grand serviteur public qui supporte plus difficilement le poids de tant d'années de belligérance. Elles seront marquées aux coins de l'exclusion et de la réprobation publique.

Le PDG

Après l'élection, Yvon Lamarre s'installe à l'hôtel de ville à titre de président de l'Exécutif. Il est incontestablement l'homme fort du Parti civique. Gerry Snyder et

Pierre Lorange y jouent des rôles importants, mais le parti a du plomb dans l'aile. Lamarre, homme plutôt taciturne, en qui Jean Drapeau ne voit pas un successeur, n'a pas le charisme des rassembleurs ni celui des charmeurs de foules. Sans formation particulière pour la fonction, il s'avère toutefois un administrateur traditionnel hors pair. Comme Drapeau, il est d'une droiture et d'une rigueur indéniables. Mais une génération sépare les deux hommes. Lamarre est un observateur fidèle et objectif du travail du maire depuis toutes ses années de jeunesse et plus spécifiquement depuis son entrée en politique en 1970. Il admire certaines qualités et réalisations du politicien, mais, en même temps, il ne lui donne pas « le bon Dieu sans confession » et, surtout, il est en mesure, vu la conjoncture, de lui retirer sa « carte blanche ».

Dès 1979, les 2 hommes feront « chambre à part ». M. Drapeau pourra continuer de jouer son rôle de représentation, intervenir en matières gouvernementales et jusqu'à un certain point développer des projets. Il aura à son service une dizaine de personnes qui constitueront ce que quelques-uns appelleront le « *foreign office* ». À la « maison » que constitue l'hôtel de ville et au 3150, rue Sherbrooke Est, son bureau personnel, la vie continuera comme elle a toujours été depuis 1960. D'ailleurs, le maire jouit encore d'une force réelle à l'international, comme en fait foi cette anecdote racontée par le maire de Québec, Jean Pelletier, au moment du décès de son confrère. « Nous étions à la fin d'une assemblée annuelle des maires francophones à Kinshasa. Tout le monde voulait saluer le président Mobutu avant de partir. Mais il se trouvait sur un bateau sur le fleuve du Congo où il avait réclamé un entretien avec Jean Drapeau. Et nous, nous étions tous là sur le quai à attendre qu'ils aient fini. Nous attendions tous, y compris Jaques Chirac[132]. »

Le maire, arrivant tôt le matin après avoir circulé en ville, continuera à entretenir ses réseaux nationaux et internationaux, à passer ses commandes, à voir à sa correspondance et à son horaire, tout cela dans les espaces qu'on lui réserve au premier étage de l'hôtel de ville. C'est là que le jeune fonctionnaire Bertrand Bergeron viendra le rencontrer régulièrement pour recevoir ses demandes de recherches et l'écouter développer ses idées.

« On ne s'ennuyait pas, même si la plupart du temps rien de tout ce que M. Drapeau avançait ne se concrétisait. Lorsque ça devenait plus sérieux et qu'un projet se dessinait, j'allais voir le président de l'Exécutif, M. Lamarre, avec les conclusions auxquelles on en arrivait. Je dois dire que très souvent je n'étais pas bien reçu. La grande majorité des idées de M. Drapeau ne passaient plus à cette époque. »

Yvon Lamarre, qui s'est donné comme code de conduite de ne pas laisser le maire avancer dans quelque nouveau projet sans pouvoir intervenir dès le départ, s'est installé au deuxième étage. C'est de là qu'il voit à opérer le changement politique nécessaire au Parti civique et aussi à Montréal. Les Jeux olympiques ont fait trop mal. Jean Drapeau y a trop perdu en crédibilité et en capital politique. Le modernisme et l'international doivent faire place à la qualité de vie urbaine et aux projets à échelle humaine. Il faut passer à autre chose. On dira d'Yvon Lamarre qu'il aura été la conscience sociale du maire.

À cette époque, la Ville ne compte pas de directeur général, si bien que le président de l'Exécutif agit à la manière d'un président-directeur général. Lamarre voit à tout, de l'inventaire des stocks de papier aux aqueducs, en passant par les demandes individuelles de rénovation de résidences.

L'administration Drapeau-Lamarre se fait plus discrète. Il faut dire qu'elle est en attente des conclusions de la Commission Malouf qui a tenu des audiences publiques à la fin de 1978. Cette enquête est jugée souhaitable par l'opinion publique. Évidemment, comme c'est toujours le cas dans le cade de ce type d'enquêtes, les échanges en commission auront fait les grands titres des médias et ainsi altéré le véritable jugement que l'on doit porter sur la situation. Plus qu'une épée de Damoclès au-dessus de sa tête, la Commission Malouf est un glaive qui a déjà commencé à transpercer le cœur du maire.

Mais attention : il n'est pas mort. Il s'acquitte encore très bien de ses fonctions politiques. En bon plaideur, lors de négociations en 1978, il a réussi à obtenir de Québec 69 millions de dollars en matière de réaménagements fiscaux alors que la province n'en offrait que 9[133].

En 1979, avec son vieux compagnon Gerry Snyder toujours vice-président de l'Exécutif, le maire tente de refaire le coup des Expos de Montréal. Apprenant que la Ligue Nationale de Football cherche à ajouter deux équipes, Montréal se met sur les rangs et les deux hommes se rendent au XIIIe Super Bowl pour entreprendre leur travail de séduction. Et Yvon Lamarre est dans le coup.

Malheureusement pour les amateurs de ce sport, le projet ne verra pas le jour. Mais Gerry Snyder y travaillera jusqu'en 1983. Selon M. Lamarre, « on dut abandonner parce qu'on n'avait pas l'appui du fédéral[134]. » Il faut dire que le gouvernement canadien avait une coupe Grey à protéger. Une autre explication de cet échec tiendrait, semble-t-il, au fait que le Stade olympique ne satisfaisait pas aux demandes et préoccupations de la NFL. Justement, l'équipe se serait appelée « les Olympiques ».

Les Olympiques, prise 2 ?

Le 22 janvier 1980, Jean Drapeau répondit, dans une lettre de 7 pages d'une qualité diplomatique remarquable, à la demande du premier ministre Joe Clark, à savoir si, en cas d'extrême nécessité, Montréal ne pourrait pas accueillir les Jeux olympiques à tenir l'été de cette même année. Après tout, cela venait de ce faire il y avait trois ans et demi à peine.

En 1979, l'Union soviétique avait envahi l'Afghanistan. Ce geste réprouvé par une grande partie de la communauté internationale remettait en question le choix de Moscou comme cité d'accueil des Jeux, choix qui avait été fait en 1974 à Vienne.

Les pays opposés au geste soviétique cherchaient donc des voies de rechange, et c'est dans cette perspective que le jeune et inexpérimenté premier ministre canadien consulta le maire de Montréal. Dans sa réponse, M. Drapeau fit comprendre à M. Clark que cela était trop périlleux à si courte échéance. Agit-il à son corps défendant ? La réponse du maire, cousue de fil doré, fut en tout cas à ce point prudente qu'elle était finalement négative.

Les Jeux olympiques à Montréal en 1980 ? Cela aurait été incroyable. Peu importe la faisabilité technique de l'affaire – après tout, Montréal avait parfaitement réussi d'un point de vue organisationnel –, le dossier serait probablement devenu indéfendable politiquement. Mais quel pied de nez aurait pu faire Jean Drapeau à ses détracteurs !

Finalement, les Jeux eurent lieu à Moscou malgré le boycottage d'une cinquantaine de pays, dont les États-Unis et le Canada.

Les Floralies

En mai 1980, en pleine période référendaire, Montréal accueille les Floralies internationales. L'idée n'est pas du maire Drapeau, mais bien du coloré ministre provincial de l'Agriculture, Jean Garon. Les Floralies, sorte de compétition internationale d'horticulteurs surtout européens, ont tout pour correspondre au Parti civique nouveau genre. D'abord, elles coûtent peu à la Ville qui n'en prend pas la responsabilité puisqu'il s'agit d'une organisation internationale basée à Paris qui a demandé à transiger avec le gouvernement fédéral. Alors pas de dépenses indues, pas de gestion de crise. Tout va bien.

Ce « doux projet » permet à Yvon Lamarre d'entreprendre une opération connexe d'embellissement des quartiers : la campagne « Un million de fleurs pour Montréal ».

Plus encore, le projet se tient au vélodrome, pour son volet intérieur, et sur l'île Notre-Dame, le long d'un sentier de neuf kilomètres, pour son volet extérieur. Jean Drapeau est ravi que ses îles reprennent vie et que l'on utilise les installations qui sont nées grâce à ses initiatives antérieures et qui, à nouveau , justifient leur existence.

L'événement, qui se tiendra de mai à septembre, sera un franc succès. Il est spectaculaire et international, alors le maire s'y associe pleinement et s'y trouve comme un poisson rouge d'orgueil dans l'eau d'un bassin. André Champagne et le futur maire Pierre Bourque, tous deux du Jardin botanique de Montréal, se distingueront lors de cet événement.

Et puis, pour ne pas qu'on oublie sa manière, monsieur le maire propose un nouveau grand projet. En 1981, la Ville organise, comme c'est la mode à cette époque, un grand sommet économique visant à tracer les voies du développement de la métropole. Lors de ce cet événement, il lance son dernier grand projet : un train à grande vitesse (TGV) Montréal-New York. M. Drapeau privilégie ce tracé puisque, dit-il, « dans cette direction, ce sont les Américains qui vont payer 90 % du coût du projet[135]. » Trente ans plus tard, on parlera encore du TGV. (*Au Canada, le corridor Québec-Windsor, est-ouest, a toujours été privilégié, mais le président américain Obama a jeté un pavé dans la mare en 2009 en annonçant que plusieurs TGV pourraient voir le jour, dont un qui relierait Montréal au Nord-Est américain. Jean Drapeau a dû se retourner de bonheur dans sa tombe.*)

L'effet Lamarre

Au cours de son premier mandat à titre de président du Comité exécutif, Yvon Lamarre lance, avec son équipe de fonctionnaires, une foule de projets aussi structurants les uns que les autres, comme la rénovation de logements et la démolition de hangars, ces dangers de ruelles. Avec l'aide de Pierre Bourque, le petit homme du sud-ouest crée « Place au soleil », programme d'aménagement de ruelles que l'on transforme en passages piétonniers arrangés par les horticulteurs du Jardin botanique.

Les sociétés d'initiative et de développement d'artères commerciales (SIDAC) sont créées et visent à venir en aide aux commerçants des quartiers. Basé sur le modèle français, le réseau des Maisons de la culture est lentement mis en place. On investit dans les marchés publics extérieurs. Et puis se crée le Commissariat d'initiatives de développement économique de Montréal (CIDEM), sorte de commissariat industriel, version montréalaise. L'heure est aussi à la création des sociétés paramunicipales.

Opération 20 000 logements

Dans *La ville qu'on a bâtie*, Guy R. Legault fait grand état de ce qui a certainement été la principale réalisation politique d'Yvon Lamarre au cours de ses 2 derniers mandats : l'opération 10 000 logements, qui devint 20 000 logements.

Ce programme prend racine dès le début des années 1970. M. Lamarre ne cessera de s'y intéresser. Dans ce cadre, la Ville permit à des conditions avantageuses la construction immobilière résidentielle par le secteur privé sur des terrains qui lui appartenaient. L'opération fut une véritable aventure positive en matière d'administration publique. De nombreux fonctionnaires talentueux y participèrent à plein. Après de nombreux préparatifs, elle fut lancée en 1979. Au départ, les constructeurs ne firent pas confiance à la Ville dans sa capacité à gérer un tel projet. Mais, petit à petit, on commença à construire pour en venir, en 1987, à compter 19 539 logements construits, en chantier ou prévus sur plus de 600 emplacements situés aux 4 coins de la ville, mais surtout dans les quartiers Saint-Sulpice et Rivière-des-Prairies[136].

Jean Drapeau ne sera jamais associé directement à l'opération 20 000 logements, qui permit de retenir ou d'attirer des dizaines de milliers de citoyens sur le territoire de la ville. Dans sa pensée politique, il ne croyait pas au leadership des villes en matière d'habitation. Il soutenait que cette responsabilité appartenait avant tout aux gouvernements supérieurs. Yvon Lamarre, lui, était entré en politique pour agir en ce domaine. Dans ce dossier, chacun allait donc rester sur ses positions sans « casser maison ». Voilà un exemple probant de la « séparation des pouvoirs » qui s'exerça entre Drapeau et Lamarre de 1978 à 1986.

Un certain référendum

Les années de pouvoir du Parti Québécois eurent un impact majeur sur Montréal. Entre autres, la nécessaire adoption de la Charte de la langue française aura sur la ville un effet inégalé au Québec puisque bien évidemment c'est à Montréal et dans ses banlieues ouest que se trouve la plus importante concentration d'anglophones de la province.

En même temps qu'une partie des anglophones de souche britannique, déstabilisés, migrent vers Toronto, les jeunes familles quittent pour la banlieue, et la population allophone autre qu'européenne croît à un rythme soutenu. Le cœur et le visage de Montréal se transforment. (*En 1996, les francophones ne compteront plus que pour 55 % de la population de l'île.*) La « nouvelle » ville est plus exotique, plus cosmopolite mais en même temps plus française à plusieurs égards.

La compétition entre les Nordiques de Québec, qui joignent la Ligue nationale de hockey en 1979, et les Canadiens de Montréal se développe. Les Nordiques, arborant la fleur de lys, représentent la capitale et le Québec d'origine. Le Canadien, c'est Montréal, la réunion entre anglophones et anglophones, le Canada. Mais c'est aussi Maurice et Henri Richard, et Guy Lafleur qui ont prouvé aux anglophones ce que l'on était capable de faire. La rivalité proverbiale entre les deux villes est à son comble quand vient le temps des matchs entre les deux clubs.

La communauté d'affaires francophone prend ses aises à Montréal. C'est l'âge d'or du Québec inc. où les entrepreneurs « de souche », les Saint-Pierre, Marcoux, Péladeau, Lamarre, Beaudoin, Gaucher, Sirois et combien d'autres, deviennent des vedettes comparables aux Bronfman, Molson, McConnell, etc..

Et puis la métropole du Québec démontre hors de tout doute que l'une de ses principales forces demeure sa vitalité culturelle. C'est à cette époque que naît sans grand bruit le Festival international de jazz de Montréal qui deviendra de réputation mondiale. Le Vieux-Montréal, avec ses célèbres salles de spectacles situées dans les hôtels Nelson et Iroquois, font connaître les nouveaux talents en matière de chanson et de variétés. Daniel Lavoie, Plume Latraverse, Fabienne Thibault s'y succèdent. Un peu plus au nord, rue Saint-Denis ou Ontario, on peut aller entendre Beau Dommage ou Harmonium dans des cafés qui ont remplacé les boîtes à chansons. Le milieu de la danse s'organise. La Compagnie de théâtre Jean Duceppe va de succès en succès. Et Charles Dutoit fait résonner l'Orchestre symphonique de Montréal dans la ville et dans le monde.

Au cours de la décennie suivante, une importante rénovation d'équipements ainsi que la création de lieux affirmeront le statut de métropole culturelle que Jean Drapeau, à sa manière singulière, avait contribué à bâtir.

Dans cette effervescence nouveau genre, l'échéance référendaire fixée par le gouvernement au 20 mai 1980 arrive à grands pas. Jean Drapeau évitera de se jeter officiellement dans la mêlée pleine de tensions. À Québec, on suppute que, même s'il est foncièrement nationaliste et défenseur des Canadiens français, il est dans le camp du Non. En 1977, devant le Canadian club, il avait déclaré : « Je ne troquerai ma foi en mon pays contre un siège de maire », avant de se lancer dans une grande tirade vantant les mérites du Canada. Quelques mois plus tard, il accompagne Pierre Elliott Trudeau aux États-Unis lorsque ce dernier se rend à Washington pour un dîner à la Maison-Blanche. Il s'organise aussi pour laisser savoir en haut lieu que peut-être il pourrait songer à remplacer Robert Bourassa à la tête du Parti libéral, ce qui incombera finalement à son ennemi Claude Ryan[137].

Même si les Olympiques lui ont retiré une partie de son influence et que les mouvements sociodémographiques font que Montréal a perdu du poids politique, on redoute une prise de position de Jean Drapeau. Les stratèges politiques considèrent qu'il peut faire balancer 4 % ou 5 % du vote dans un camp comme dans l'autre.

Habile au jeu du « je te tiens par la barbichette », la maire tirera certains bénéfices de sa situation. Il réussira à marquer des points notamment lorsque viendra la question de l'achèvement du mât et du toit du Stade olympique. Québec acceptera de lancer des appels d'offres menant à l'achèvement de l'œuvre, mais invoquera, quelques mois après le référendum, des problèmes de solidité du sol pour ne pas terminer ces travaux.

Durant cette période, laissant toujours à Yvon Lamarre les rênes de la Ville, Jean Drapeau multiplie les déclarations au sujet de l'augmentation des pouvoirs économiques et fiscaux de Montréal. De nouveau devant le Canadian club, en 1979, dans un discours peaufiné, livré totalement en anglais, il fait référence à l'instabilité causée par le référendum, la Charte de la langue française, la puissance des syndicats, le déménagement des sièges sociaux, le salaire minimum élevé et la charge fiscale des contribuables, et lance cette tirade, lourde de sens et de lucidité :

« Si dans tout le Québec, ses institutions, ses structures économiques, sa position d'État industriel avaient été plus profondément ancrées dans le monde de la finance et des affaires, si Montréal avait été solidement consolidé à son poste d'avant-garde, soutenu, renforcé, en résumé si tout le Québec avait été plus fort, les coups paraîtraient moins forts. »

Aveu d'échec de la part de celui qui aura fondé sa carrière sur la capacité des francophones à jouer dans « les grandes ligues » ? Reconnaissance de la faiblesse de sa stratégie de développement de Montréal basée sur l'événement et le tourisme ? Il termine, clairvoyant, en disant :

« La question est bien plus de savoir si toute la communauté, la grande, la très grande communauté montréalaise, industrielle, commerciale et financière et le Québec tout entier vont sciemment et inconsciemment se désintéresser du plus puissant potentiel jamais rassemblé autour d'une même ville ou bien s'y intéresser résolument, rapidement, avec entêtement s'il le faut[138]. »

À quelques semaines de l'échéance référendaire, les maires des trois grandes villes de la province, Montréal, Québec et Sherbrooke, feront savoir par voie de communiqué qu'ils ne se prononceront pas dans le cadre de la campagne qui s'organise sous les camps du Oui et du Non.

Jean Drapeau, lui, aura tout de même participé au jeu. D'une grande intelligence politique, démontrant une fois de plus son envergure encore bien réelle, il se sera servi de l'occasion référendaire pour tenter d'améliorer le sort de sa ville, bousculée par la conjoncture et lui glissant entre les mains.

« Une incroyable incurie »

C'est ainsi que le juge Malouf qualifia le travail de Jean Drapeau, du Comité exécutif de la Ville et de Roger Taillibert au moment de la présentation publique de son rapport sur la gestion des Jeux olympiques le 5 juin 1980. Les deux hommes furent blâmés sévèrement par la commission, et Jean Drapeau tout particulièrement. Absence de budget, de direction de projet, retards, mauvais choix de concepts, installations inutiles, choix faits sans appels d'offres, etc. Un véritable désastre administratif.

Heureusement, la commission ne révéla aucune malversation de la part du maire. De nombreux entrepreneurs et représentants syndicaux furent toutefois montrés du doigt pour avoir usé de pratiques inacceptables. Les entrepreneurs Régis Trudeau et Désourdy en prirent pour leur rhume. On apprit que le Parti libéral reçut près de 800 000 $, de rondelettes contributions à sa caisse électorale, durant la construction. Le nouveau chef du parti, Claude Ryan, déclara qu'aucune preuve d'illégalité n'avait été faite à ce sujet. Le gouvernement du Québec, lui, fut épargné.

D'aucuns, pour la plupart défenseurs de l'idéal olympique et gardiens de l'image des Jeux, parlèrent de partialité et de procès d'intention de la part du juge Malouf. Ce *spin*, technique qui consiste à répandre certaines rumeurs ou allégations de façon à faire contrepoids à des messages prépondérants, existe toujours au moment de la rédaction de cet ouvrage. On remarqua certaines anomalies de procédures au moment des audiences publiques, qui n'auraient pas donné la chance à Roger Taillibert, par exemple, de s'expliquer. Jean Drapeau lui-même déclara à plusieurs que le juge Malouf avait tout simplement contre lui une dent qui remontait au temps des études des deux hommes. Drapeau l'avait semble-t-il battu lors d'un débat oratoire. Possible, puisque les deux hommes complétèrent leurs études de droit à peu près au même moment. Mais dans le cas d'Albert Malouf, ce fut à l'Université McGill.

Malgré tous les efforts déployés pour discréditer le travail de la commission, il demeure que les conclusions générales étaient accablantes et irréfutables. La gestion du dossier de construction olympique avait été un cuisant gâchis. Dans les médias, on parla de « gaspillage du siècle ».

La fameuse réponse au juge Malouf

Dès la publication du rapport, Jean Drapeau nia quelque responsabilité que ce fût. Il promit dès lors de répondre au juge Malouf. On attendit donc la réponse du maire pendant quelques semaines, quelques mois… quelques années. Cette promesse non tenue devint l'objet de moqueries et un exemple de fuite qui ternit l'image du politicien de plus en plus caricaturé et caricatural. Guy Pinard fut parmi ceux qui ne lâchèrent pas le maire Drapeau d'un pouce à ce sujet. Encore une fois, le maire expliqua l'acharnement du journaliste, au demeurant bien réel, par un petit secret personnel qu'il révéla à quelques personnes, individuellement.

Voici l'histoire que raconta M. Drapeau à plusieurs, partant d'un fait avéré : au moment de l'obtention des Jeux en 1970, Pinard, alors journaliste à *La Presse,* fit parvenir une lettre de félicitations pleine de louanges au maire (*cette lettre a été vue par plusieurs et se trouve probablement dans les archives personnelles et encore protégées de M. Drapeau*) et lui offrit ses services à titre de responsable des services de communication pour les olympiades à venir. En temps et lieu, M. Drapeau achemina la lettre aux responsables de l'embauche au Comité organisateur. Malheureusement, M. Pinard ne reçut jamais d'offre d'emploi. On lui préféra un confrère. Selon M. Drapeau, il prit alors la mouche et c'est ainsi qu'il commença, pour se venger, son travail de destruction.

Au-delà de ces explications, au moment de la sortie du rapport Malouf, le maire entreprit bel et bien d'y aller de sa réponse. Les employés municipaux Bertrand Bergeron et François Godbout, pour ne nommer que ceux-là, y travaillèrent. M. Bergeron procéda à une évaluation des retombées économiques des Jeux. M. Godbout, alors au service du contentieux et qui avait travaillé au COJO durant les Jeux, écrivit plusieurs pages sur les agissements du Comité. Un début de réponse exista donc en parties détachées et incomplètes.

Le fin mot de cette fameuse réponse qui ne vint jamais est que la préparation de cette réplique s'avéra beaucoup plus complexe que ne se l'était imaginé Jean Drapeau. Avec l'âge, les mois et les années, il s'en désintéressa tout simplement, affirmant que cela ne servirait qu'à donner de l'importance à Malouf et préférant se consacrer à d'autres projets d'écriture. Mais, pris à son propre jeu, il continua jusqu'à sa retraite de prétendre qu'il offrirait un jour cette réponse, allant jusqu'à s'amuser lui-même de la situation.

Chapitre 15

Le dernier souffle politique

1982. D'abord, M. Drapeau fit en février une malencontreuse chute sur le sol glissant du garage de l'hôtel de ville et se fractura le bassin. Et puis, en juillet, il y eut le premier d'une série d'accidents vasculaires cérébraux qui allaient miner l'homme de 66 ans.

Deux coups durs à moins de six mois de l'élection. La neuvième à laquelle, contre toute attente, il avait l'intention de participer. Muni d'une canne, partiellement paralysé, l'invincible maire s'attaqua à sa réhabilitation durant l'été.

«Il me décrivait les exercices qu'il devait faire chaque jour pour retrouver la forme, se souvient Lawrence Hannigan. Il devait courber le dos plusieurs fois à la manière d'un chat, installé à quatre pattes dans son lit. Il devait aussi répandre des dizaines d'aiguilles à couture sur son bureau et les ramasser patiemment de sa main paralysée, une à une. Cela plusieurs fois par jour. Il avait une volonté de fer.»

Pourquoi une élection de plus? Voici ce qu'écrivit l'éditorialiste du *Devoir* Jean-Louis Roy à quelques jours du vote: «[...] Tel est aujourd'hui le défi des administrateurs de cette ville. En raison des retards accumulés en raison d'aventures grandioses et de courte vie, il leur faut à la fois effectuer un rattrapage considérable et garder le cap sur les aménagements susceptibles de faire de Montréal l'un des relais obligés de la culture et de la vie économique dans le prochain siècle. [...] Sans une réaction immédiate soutenue et exigeante, cette ville si maquillée soit-elle de " mobiliers urbains " d'une autre époque continuera de sombrer lentement dans la marginalisation continentale et internationale. [...] L'équipe du gouvernement actuel dirigé par M. Drapeau est au pouvoir depuis un quart de siècle. Cette équipe se présente sans aucun élément neuf. Sa direction ne l'a pas allégée du bois mort qu'elle traîne et n'y a pas effectué les additions susceptibles de la rajeunir[139]. »

Pourquoi s'acharner au pouvoir ? Tout simplement parce que Jean Drapeau est marié à sa ville et qu'il est d'une époque où la séparation sans raison grave est exclue. Et puis il aime sa fonction et le pouvoir par-dessus tout. Il s'y est préparé toute sa jeunesse, l'a exercé toute sa vie. Que pourrait-il faire d'autre ? Préparer et céder la place à un remplaçant qui pourrait poursuivre son œuvre ? Comme beaucoup d'autres leaders, il n'aime pas se prêter à ce jeu et il ne voit poindre personne. Mais la raison principale pour poursuivre est peut-être encore plus simple que toutes les précédentes : il peut encore gagner !

Il aura toutefois affaire à un opposant de qualité qui s'est attiré la sympathie des médias. Jean Doré, avocat de droit social, engagé dans les milieux étudiants, syndicaux et communautaires est le nouveau candidat à la mairie du RCM. Articulé et simple, l'homme manque de chaleur, mais sa capacité à digérer et à maîtriser l'ensemble des dossiers municipaux en fait le candidat le plus impressionnant qu'ait eu à rencontrer Drapeau. Le Rassemblement des citoyens s'est aussi débarrassé de son aspect radical, et le programme qu'il propose correspond aux changements que veulent une grande partie des Montréalais pour leur ville. Se présente aussi Henri-Paul Vignola, ex-chef de police, à la tête du GAM. Mais sa performance est décevante.

La dernière victoire

Au mois d'octobre, Jean Drapeau, qui ne cache pas le fait qu'il a été malade mais ne révèle pas les détails de son état de santé, se présente devant l'électorat en forme, du moins suffisamment pour occuper sa fonction.

Dès lors, on sait qu'il va gagner encore une fois. « Au terme d'une campagne électorale dans l'ensemble sereine et paisible, tout indique que le peuple de Montréal s'apprête, cette année encore, à plébisciter Jean Drapeau. Ce n'est pas faute d'opposition ; celle-ci s'est en effet révélée intelligente et vigoureuse. C'est essentiellement la force du personnage, à la fois visionnaire et pragmatique, qui s'impose[140] », écrivent Jean-Guy Dubuc et Michel Roy dans La Presse la veille de l'élection.

Le dimanche 14 novembre, dans ce que plusieurs considéreront comme une victoire de trop pour Jean Drapeau, le Parti civique fait élire 39 conseillers avec moins de 50 % du suffrage. Le RCM fait excellente figure et place 15 joueurs en poste. Le GAM fait élire trois conseillers. Le maire a obtenu 162 445 voix contre 122 662 pour Jean Doré. La victoire est plus courte que d'habitude puisque 50 % des électeurs se sont prévalus de leur droit de vote. Le RCM s'est entre autres rallié une bonne partie du vote anglophone et allophone.

Battu mais encouragé par ce résultat, aidé au Conseil municipal par des conseillers de valeur comme John Gardiner, Michael Fainstat, Abe Limonchik et André Berthelet, Jean Doré continuera la bataille. Il se fera élire conseiller en 1984 à la faveur d'une élection partielle dans le district Saint-Jean-Baptiste, au cours de laquelle il s'en prendra au « paternalisme révolu de Jean Drapeau ». C'est alors qu'il jouera un certain nombre de « parties » politiques avec le maire. Il raconte :

« Le maire traitait l'opposition de façon inacceptable. Non seulement il se refusait à céder la présidence du Conseil à un autre que lui ou à créer des commissions auxquelles nous aurions pu participer, mais au quotidien il rendait les choses invivables. Nous n'avions pas de bureau, pas de téléphone, aucun budget de recherche. Impossible de faire une bonne *job* d'opposition. Je lui avais fait part plusieurs fois de nos demandes. Il ne voulait rien entendre. C'est alors qu'une fois élu je me suis décidé à lui montrer à qui il avait affaire. En quelques jours, j'ai écrit un projet de loi en 10 articles que je suis allé soumettre au ministre des Affaires municipales, Alain Marcoux, après m'être assuré auprès des libéraux qu'ils n'y feraient pas opposition. Nous étions en fin de session. Marcoux a joué le jeu. Quelques jours plus tard, il a déposé le projet de loi C-34, sur les budgets de recherche et de secrétariat des partis municipaux à Montréal, Québec et Laval, qui nous donnait des munitions pour faire notre travail. Il fut adopté le 20 juin 1984 à Québec à l'insu du maire. Je m'en souviendrai toujours. Aussitôt la loi sanctionnée, je suis parti de Québec avec la loi sous le bras et j'ai filé dans ma voiture en direction de l'hôtel de ville. Je voulais arriver avant la fin du Conseil municipal qui siégeait ce soir-là. Une fois entré, encore essoufflé, j'ai demandé la parole et j'ai déposé la toute nouvelle loi devant Jean Drapeau. Il n'avait plus le choix, c'était force de loi. Il était cramoisi. Mais en même temps, je crois que ce jour-là j'ai gagné son respect. »

La magie n'opère plus

Le milieu des années 1980 est une période bizarre de l'histoire du Québec. Sortant d'un résultat référendaire sans équivoque qui fit rentrer dans leurs terres bien des activistes et créateurs, relevant d'une crise économique très dure, la province comme la métropole semblent se laisser porter, sans gouvernail. Le gouvernement du Québec en place, toujours dirigé par un René Lévesque fatigué et meurtri, tire à sa fin. À Québec, on a pensé à souligner le 450e anniversaire de l'arrivée de Jacques Cartier en Amérique. On voit grand pour cet événement où l'on suggère aux Montréalais et autres visiteurs de laisser leurs automobiles à Drummondville et d'emprunter des navettes, car les embouteillages à Québec risquent d'être monstres !

Pendant qu'Yvon Lamarre continue de gérer la Ville, Jean Drapeau, lui, s'enflamme pour de nouveaux projets comme la création d'une Cité du cinéma ou, encore plus représentative de son style, une salle de concerts pour l'Orchestre symphonique de Montréal qui se trouve mal servi par l'acoustique de la salle Wilfrid-Pelletier.

La société immobilière Cadillac Fairview a développé un projet immobilier d'une valeur de 130 millions de dollars qu'elle veut implanter rue McGill College. Le projet comprend des salles de spectacles, dont une pour l'Orchestre symphonique, des commerces, des bureaux. Mais pour ce faire, il faudra aménager les édifices de telle sorte que l'avenue disparaîtra presque complètement et que la vue sur le mont Royal, unique au centre-ville, sera complètement bouchée par des passerelles reliant les édifices du projet.

Malgré ces vices de forme devenus inacceptables dans l'opinion publique, Jean Drapeau croit bien pouvoir procéder sans problème, même s'il reconnaît que ce développement immobilier élimine son vieux rêve de transformer l'avenue McGill College en Champs-Élysées de Montréal. Après tout, sept millions en revenus d'impôt foncier et une salle de concerts prestigieuse, ce n'est pas rien.

Dès le dévoilement du projet que M. Drapeau a voulu tenir secret jusqu'au dernier moment, c'est le tollé. L'opposition, formée du RCM et du GAM, les groupes citoyens et de défense du patrimoine, les médias, l'opinion publique et même les services municipaux condamnent le projet. À tel point que Cadillac Fairview recule. On attendra des consultations publiques et un plan d'urbanisme de la Ville. Jean Drapeau est décontenancé. En d'autres temps, il aurait eu le contrôle entier sur l'appareil politique et public municipal, et la population aurait suivi. À la fin de 1984, il a beau piaffer d'impatience, rien n'est encore décidé.

Qu'à cela ne tienne, toujours en catimini, le maire concocte un nouveau projet de salle avec la Société Sofati, dirigée par Michel Gaucher, qu'il fait adopter séance tenante par le Comité exécutif en janvier 1985. La salle sera construite sur un terrain municipal qu'il a déniché, évidemment dans l'est de la ville, situé rue Berri, non loin de la station de métro Berri-de Montigny.

Le 31 janvier, il réserve lui-même du temps d'antenne à Télé-Métropole et présente son projet au grand public. Les journalistes sont en furie de cette tentative de contrôle de la part du maire. Pourtant, s'ils pouvaient se souvenir ! Après avoir expliqué le projet de 2600 places construit au-dessus de stationnements souterrains, tout cela sans un sou de dépassement aux

30 millions de dollars promis par Québec, le maire annonce qu'il entend le faire adopter par le Conseil municipal en séance extraordinaire, quelques jours plus tard. Au diable les demandes de consultations, les Montréalais seront contents puisqu'ils gagneront sur tous les plans. Le maire est convaincu que Cadillac Fairview fera tout de même son projet modifié sur McGill College et que ses citoyens auront en prime une salle de concerts à la hauteur de leur grand orchestre.

Le projet sent l'improvisation. Le maire prétend que Sofati et Cadillac Fairview se sont entendues pour un échange de bons procédés et d'investissements. Le président Cadillac Fairview, Alan Saskin, réfute ces allégations et contredit publiquement le maire qui ne fait plus peur comme autrefois. Le RCM, quant à lui, refuse de donner un chèque en blanc au maire, et Clément Richard, le ministre des Affaires culturelles à Québec, prend ses distances. La technique Drapeau ne fonctionne plus. Finalement, il n'y aura pas de salle de concerts, et un projet contrôlé verra le jour sur l'avenue McGill College, d'où l'on pourra continuer de contempler le mont Royal.

Le pharaon

Après cette défaite, Jean Drapeau deviendra petit à petit un maire honorifique et caricatural. À l'aube de ses 70 ans, il commencera à baisser la garde. Il connaîtra toutefois une dernière part de bonheur prestigieux lorsqu'il fera naître, grâce à de nouveaux voyages et à ses contacts internationaux, l'exposition Ramsès II au Palais de la civilisation, installée dans l'ex-pavillon de la France à l'île Notre-Dame, si chère à son cœur. Cette initiative, grand succès populaire, donnera naissance à la Société du Palais de la civilisation qui organisera plusieurs expositions subséquentes, dont plusieurs sous l'initiative du maire de 1984 à 1986.

L'événement permettra à de nombreux chroniqueurs de se moquer affectueusement du maire. La plupart le comparent au grand Égyptien bâtisseur sanguinaire et énigmatique. Mais l'aspect caricatural de Jean Drapeau atteindra son point culminant quand lui-même, à la surprise générale, acceptera d'emboîter le pas, un soir de gala Juste pour rire en juillet 1985 au théâtre St-Denis.

Hospitalisé pour des problèmes cardiaques, le plus grand imitateur du Québec, Jean-Guy Moreau, qui avait fait du maire l'une de ses principales têtes de Turc, ne pouvait ce soir-là animer le gala qui le liait à Dominique Michel. Qui le remplaça le temps d'un court numéro ? Jean Drapeau lui-même.

« Vous espériez la copie, voilà l'original », lança-t-il en entrant sur scène, canne à la main. On lui fit une ovation à tout rompre. Et voilà que le maire, tenant son propre rôle, un comble de narcissisme, volait le *show* une nouvelle fois.

L'ultime décision

Pour des raisons de santé défaillante qu'il invoquera lui-même (*M. Drapeau fit une autre chute en décembre 1985 et se fractura une vertèbre*) et parce qu'il savait, après avoir mesuré ses chances, qu'il serait difficile de gagner une nouvelle élection, Jean Drapeau prit au cours du mois de juin 1986 la difficile décision de s'en aller. Il hésita jusqu'à la dernière minute, réfléchissant à cercle très fermé. L'une des raisons de sa tergiversation était qu'il n'arrivait pas à trouver de successeur susceptible de maintenir son parti au pouvoir. Dans son Parti civique, pas question de congrès à la chefferie qui, disait-il, « ne font que créer des dissensions ». Même pas de cartes de membres puisque, toujours selon M. Drapeau, les membres du parti étaient tous les citoyens de Montréal. L'homme se retrouvait seul, incertain de pouvoir entreprendre un nouveau mandat de quatre ans, à la tête d'un parti d'un autre temps, de moins en moins représentatif de la population, usé à la corde. Pourtant, 30 ans plus tôt, il avait été l'initiateur d'une nouvelle forme de démocratie municipale.

Après avoir alimenté la rumeur pendant quelques jours, y compris durant un nouveau sommet économique de Montréal auquel il participa activement, Jean Drapeau convoqua la presse le vendredi 27 juin à l'auberge Universelle, non loin de chez lui, à l'ombre du Stade olympique toujours muni d'un demi-mât. Taquin, il justifia le choix de cet endroit par le fait qu'il y avait beaucoup de places de stationnement gratuites pour ses amis journalistes.

La veille de ce qui allait être l'un des grands événements médiatiques de la décennie au Canada, personne à l'hôtel de ville ou dans le parti, sauf Yvon Lamarre, Pierre Lorange (*le vice-président de l'Exécutif qui travailla à son discours jusqu'aux petit matin*) et quelques proches, ne savait encore ce que le maire allait annoncer, et plusieurs pariaient encore sur une récidive. Geste important, M. Drapeau avait invité Lucien Saulnier à l'événement. Les grands batailleurs savent se reconnaître au-delà des victoires et des défaites.

Entouré de sa femme, d'Yvon Lamarre et de nombreux membres de son parti, Jean Drapeau commença son discours, ampoulé comme d'habitude, travaillé de longue main. Il entama ferme et fort. Et puis vinrent les moments plus difficiles : « J'ai le regret de constater que mon respect de la fonction de maire et des électeurs me dicte ma décision. Je ne la choisis pas. Je mets donc fin à ma carrière élective. » Après avoir perdu la voix une première fois, il prononça ces mots : « Ma récompense, c'est d'avoir largement contribué à transformer la ville que déjà nous aimions en ville que nous aimons encore plus. » C'est alors qu'il éclata en sanglots.

Pendant quelques secondes, la salle s'emplit d'humidité. Dans un geste autoritaire qui cachait sa déception certaine de ne pouvoir poursuivre et en même temps avec une voix faiblarde et presque enfantine, il tendit son texte à Yvon Lamarre en disant : « Je réclame le droit de ne pas poursuivre. » Et puis il pleura avec sa femme et tous les autres.

Il aurait voulu rester. Il ne savait rien faire d'autre. Il redoutait la solitude, l'anonymat et la perte de jouissance qui font tellement mal à ceux qui ont connu les feux de la rampe. Il perdait aussi ses grandes amours : la politique et Montréal.

Dans les jours qui suivirent, en admettant qu'il s'agissait d'une sage décision, on témoigna beaucoup d'amour à Jean Drapeau qui, disait-on, « avait donné sa vie pour Montréal ». L'hommage qu'on lui rendit était empreint de déférence. Plus que ce qu'on a l'habitude de donner en de telles circonstances, qui prêtent toujours à l'exagération. On aurait juré qu'il appartenait au peuple, un peu comme Maurice Richard. Une sorte de héros mythique venu de la 5e Avenue à Rosemont. Le courant de sympathie qui déferla fut encore plus impressionnant que pour le célèbre joueur de hockey. Les citoyens interviewés par les médias racontèrent comment il avait eu des attentions remarquables pour eux. On parla de sa grandeur et de sa simplicité. Des employés témoignèrent aussi, s'inquiétant de l'avenir de l'homme qu'ils ne voyaient pas autrement qu'à l'hôtel de ville, en voyage d'affaires ou à son bureau de la rue Sherbrooke.

Après avoir repris contenance, Jean Drapeau se livra à une tournée de presse où il se confia comme jamais. Il s'ouvrit sur ce qu'avait été son travail et, jusqu'à un certain point, sa vie personnelle. Il témoigna beaucoup d'affection aux Montréalais. Chose exceptionnelle, il reçut aussi quelques journalistes, dont André Pépin de *La Presse,* dans son repaire de la rue Sherbrooke où étaient empilées les tonnes de documents et de souvenirs qu'il avait bien l'intention de mettre en ordre maintenant qu'il en avait le temps.

Il annonça aussi qu'il resterait en poste jusqu'à l'élection et qu'une fois son successeur trouvé il avait bien l'intention de participer activement à la prochaine campagne électorale et de contribuer à battre Jean Doré, en avance dans les sondages. Dans les semaines qui suivirent l'annonce de son départ, une grande partie de conseillers du parti dont Yvon Lamarre décidèrent de ne pas se représenter. Les choses s'annonçaient mal pour le Parti civique.

CHAPITRE 16

MONSIEUR L'AMBASSADEUR

Le 9 novembre 1986, le RCM balaya Montréal en faisant élire 55 conseillers et conseillères sur 58, dont la moyenne d'âge était de 39 ans. Le Rassemblement rafla 68 % des suffrages. L'ingénieur Claude Dupras représentait le Parti civique. Il n'arriva pas à chausser les bottes immenses de son prédécesseur et fut battu par plus de 130 000 votes par Jean Doré. L'administration du RCM allait entreprendre une série de réformes non spectaculaires visant à doter la ville d'une fonction publique moderne, d'une planification urbaine digne de ce nom et de structures municipales rapprochant les citoyens des décisions et des services municipaux. Parmi celles-ci, les bureaux Accès Montréal et les comités-conseils d'arrondissements.

Jean Drapeau participa à la campagne, mais de triste façon, allant même jusqu'à nuire aux chances de M. Dupras. En octobre, voyant que le bateau du Parti civique coulait, il se mit à faire des déclarations désolantes, agitant les démons du passé. Il nous rappela que l'homme pouvait aussi être retors à ses heures. Il traita Doré de cryptosocialiste et attaqua Jacques Lanctôt, l'éditeur du livre de Jean Doré intitulé *Pour Montréal*, en évoquant le passé felquiste de celui qui avait pourtant payé sa dette à la société. C'est ce qu'on appelle rater sa sortie.

Dans son livre, Jean Doré soulignait comment l'administration Drapeau-Lamarre était vétuste et comment le Comité exécutif était enseveli sous les documents traitant de cabines téléphoniques et de bornes-fontaines. La Ville devait changer, et c'est ce à quoi s'attaqua l'administration Doré-Fainstat et par la suite Doré-Cousineau (*Léa Cousineau fut la première femme à occuper le poste de présidente du Comité exécutif*).

Malgré l'érosion de son pouvoir sur les plans régional et national, malgré les nombreux démêlés avec les cols bleus dirigés par le « statuesque » Jean Lapierre et malgré une nouvelle récession économique qui frappa au début des années 1990, la Ville allait continuer sa transition vers « l'économie du savoir » et la recherche de qualité de vie citoyenne.

Et puis la vocation événementielle et de grand centre culturel francophone, amorcée sous l'ère Drapeau, continua de s'affirmer avec notamment le développement du Tour de l'île, le plus grand rassemblement cycliste du monde, le Grand Prix automobile ainsi que les festivals du Jazz, Juste pour rire, des Films du monde, événements tous créés au tournant des années 1980, de même que la naissance des Francofolies et plusieurs autres.

De 1986 à 1994, sous le regard discret de Jean Drapeau, l'administration du RCM concrétisa, entre autres en utilisant le prétexte du 350e anniversaire de la ville, plusieurs projets comme la transformation du vélodrome en Biodôme et la transformation du Vieux-Port et du Parc des îles (y compris l'aménagement de la plage publique à l'île Notre-Dame, appelée par les citoyens et les journalistes la « plage Doré »). C'est aussi sous l'administration du RCM que se développèrent le Technopole Angus et le grand projet immobilier attenant, le Centre de commerce mondial et le nouveau siège social de l'Organisation de l'aviation civile internationale (OACI), amorçant ainsi le projet du Quartier international. La gestion du site d'enfouissement de l'ancienne carrière Miron fut aussi une importante réalisation.

Parmi les « grands » petits gestes de l'équipe du RCM s'en trouve un qui mérite mention. La nouvelle administration qui avait décidé de procéder à une bonification du régime archaïque de pension des élus, de façon à s'assurer dans l'avenir du maintien et de l'arrivée de candidats de valeur, s'organisa pour y inclure Jean Drapeau en acquittant les 30 ans de cotisations de l'ex-maire qui n'avait jamais voulu participer à ce régime. C'est ainsi qu'il put (et son épouse à la suite de son décès) bénéficier de cette rente.

On fit, petit à petit, à l'administration de Jean Doré une réputation d'insensibilité et de déconnexion des besoins premiers des citoyens, car les projets qu'elle menait se situaient quelquefois à côté de la réalité économique du début des années 1990. L'exemple le plus probant accentuant cette perception fut certainement la mise en route des travaux de rénovation de l'hôtel de ville, édifice patrimonial qu'on ne modifie pas n'importe comment et à bas prix, faut-il le rappeler, en plein cœur de la crise économique. On qualifia aussi l'administration RCM de technocratie lourde et on l'accusa de freiner l'initiative entrepreneuriale qui avait été la marque du Parti civique. Ces défauts mirent la table pour un fidèle du maire Drapeau, le directeur du Jardin botanique, Pierre Bourque, habile à la manipulation des symboles, qui en profita pour se lancer en politique alors qu'il était encore au service de la Ville. Il fut élu en novembre 1994 avec 46 % des voix.

Un Montréalais à Paris

Jean Drapeau, lui, était loin de tout ça. En décembre 1986, Brian Mulroney l'avait nommé ambassadeur du Canada à Paris auprès de l'Organisation des Nations Unies pour l'éducation, la science et la culture : l'UNESCO. M. Drapeau savait-il, au moment de l'annonce de sa démission, qu'il en serait ainsi ? En tout cas, Yvon Lamarre fait référence directement à cet emploi potentiel pour le maire dans une entrevue qu'il accorde à Mariane Favreau dans *La Presse* du samedi 28 juin 1986, lendemain de l'annonce de sa démission. M. Mulroney, lui, indique que l'idée de nommer l'illustre maire à ce poste lui vint beaucoup plus tard.

L'UNESCO de l'époque était une organisation en crise. Les États-Unis et la Grande-Bretagne s'en étaient retirés, en désaccord avec l'orientation idéologique et les politiques coûteuses de l'organisation. Qu'à cela ne tienne, il s'agissait d'une nomination prestigieuse pour M. Drapeau qui s'installa à Paris avec sa femme. Contrairement à ce que l'on pourrait croire, il n'y mena pas grande vie, préférant voir à ses strictes occupations bureaucratiques.

Paul Leduc, dans ses mémoires, raconte que, lorsque l'ex-premier ministre du Québec Lucien Bouchard, ambassadeur du Canada à Paris au même moment, apprit que Jean Drapeau venait le rejoindre, il s'inquiéta du fait que le maire allait peut-être lui voler la vedette lors des multiples événements mondains qui forment le lot des diplomates. Il fut soulagé lorsque M. Drapeau lui demanda de le rayer, ainsi que sa femme, de la liste de base d'invités de l'ambassade canadienne. Le maire avait d'autres projets plus importants.

Jean Drapeau continua, dans ses appartements de Paris situés dans le VIIe arrondissement au pied de la Tour Eiffel, de se lever au petit matin. Il travailla ardemment pendant un certain temps à la rédaction d'un livre sur Charles de Gaulle et à un témoignage politique qu'il se refusait à appeler « mémoires ». Ces projets auxquels il s'échina souvent avec l'auteur Michel-Pierre Sarrazin, ne virent jamais le jour, pas plus que la réponse au juge Malouf qui s'était perdue en cours de route.

Dans une lettre aux journaux que publia M. Sarrazin au moment du décès du grand homme, on prend conscience de la difficulté grandissante de M. Drapeau à s'acquitter de fonctions professionnelles à partir de la fin des années 1980.

« Pendant toutes ces années (*de 1987 à 1999, à Paris et à Montréal*) et avant que l'esprit de l'homme ne meure, comme une bibliothèque qui brûle, selon le mot du poète africain, Jean Drapeau a lutté " mot à mot " avec les phrases. Qui n'a pas livré cette bataille ne sait pas ce qu'elle exige. Jean Drapeau jusqu'à l'épuisement l'a livrée[141] », écrit l'auteur.

Le passage de M. Drapeau à l'UNESCO fut discret. Pendant ses quatre ans à son poste, il ne parla pratiquement jamais à la presse. Il vint à Montréal ou à Ottawa par obligation. À Québec aussi, quand vint le temps d'annoncer que l'UNESCO avait décidé d'ouvrir son seul bureau en Amérique du Nord dans cette ville. Un cadeau du maire de Montréal à la capitale ? Dans un de ses rares voyages « en ville », le 24 juin 1989, il fit un aller-retour pour assister aux obsèques de Lucien Saulnier, foudroyé en prenant son petit déjeuner à 72 ans.

En mai 1991, monsieur l'ambassadeur termina son mandat et rentra à Montréal avec la ferme intention de se consacrer au traitement de ses archives. Il confia alors à Paul Leduc que, finalement, le métier d'ambassadeur était trop « social » pour un homme d'action comme lui. Son retour devait se faire sans tambour ni trompette, mais les médias attendaient l'homme de 75 ans à sa sortie d'avion.

« Si j'ai suivi l'actualité montréalaise ? Je n'ai souscrit à aucun abonnement pendant quatre ans. Premièrement, les journaux arrivent une semaine en retard, l'information n'est plus à jour et souvent le numéro suivant dément la nouvelle de la veille. [...] Le Parti civique va très mal ? Cela est arrivé à de nombreux partis qui se sont relevés. [...] Des vacances ? C'est quoi, des vacances ? J'ai besoin de travail pour me nourrir[142]. »

En 1992 vinrent les Fêtes du 350e anniversaire de la ville. Pendant toute la durée des festivités, M. Drapeau se fit extrêmement discret, n'acceptant aucune invitation, sauf celle d'un autre fidèle, Roger D. Landry, alors éditeur de *La Presse*, qui lui rendit un grand hommage en octobre dans le cadre du gala Excellence organisé par le journal. L'année suivante, M. Drapeau appuya publiquement, dans une lettre la candidature de Québec, la présentation des Olympiques de 2002. Appelons ça avoir de la suite dans les idées.

La fin

Même après avoir subi un triple pontage, M. Drapeau continua jusqu'en 1997 de se rendre à son bureau de la rue Sherbrooke. Aidé par une fidèle ex-secrétaire du Parti civique, Gisèle Léger, sœur d'Aline Dufresne qui fut son adjointe à l'hôtel de ville, et par Paul Leduc, il continua de travailler à ses archives, à répondre à un important courrier, à recevoir des connaissances et à guider certains politiciens comme les conseillers municipaux Germain Prégent et Sammy Forcillo, qui se souviennent de lui comme d'un père.

Au cours de l'année 1993, il reçut 2 propositions d'achat et d'utilisation de ses archives, l'une par *La Presse* dans la perspective de publication d'un livre et l'autre par Radio-Canada qui voulait aussi réaliser une série de 6 entrevues avec l'homme maintenant âgé de 77 ans. M. Drapeau demanda alors l'aide de Paul Leduc et du communicateur Bill Bantey pour voir clair dans tout ça. Après tout, les 2 propositions pouvaient lui rapporter près de 100 000 $.

C'est alors qu'il fit une autre chute et fut frappé d'une nouvelle attaque cardiaque, qui le laissa partiellement paralysé. Il dut alors être admis dans un centre de réadaptation pour une longue période. Souffrant très sérieusement d'artériosclérose et d'ostéoporose, les projets tombèrent à l'eau.

« J'allais le visiter. C'était au Centre de soins de longue durée Charbonneau, raconte Paul Leduc. Ce qui est ironique, c'est que de sa chambre il pouvait très bien voir son bureau de la rue Sherbrooke. Pour un homme en fauteuil roulant, il était la plupart du temps de fort bonne humeur. Un jour, il me demanda de l'emmener faire un tour dans le parc attenant à l'établissement. Mme Drapeau m'avait averti de ne pas acquiescer à cette demande. Ne l'écoutant pas, j'ai compris par la suite l'avertissement de madame. D'abord, aussitôt qu'il sortait de sa chambre, tout le monde s'en approchait et les conversations n'en finissaient plus. Et puis, une fois rendu au parc, il ne voulait plus remonter ! Il mettait sa jambe encore en forme par terre et bloquait le roulement du fauteuil. »

M. Drapeau se releva encore une fois de cette épreuve, si bien que, durant la période référendaire de 1995, Richard Vigneault, responsable de la campagne de communication du camp du Non, entreprit de convaincre Jean Drapeau de participer au débat. Vigneault avait eu l'occasion de croiser le fer avec le maire dans les années 1970, alors qu'il était journaliste. « Je le savais autoritaire. Je savais aussi que je m'en allais rencontrer quelqu'un qui avait une stature de chef d'État. »

Une première rencontre eut lieu, rue Sherbrooke, à laquelle participait aussi John Parisella qui avait déjà eu l'occasion de rencontrer Jean Drapeau et qui en gardait un souvenir admiratif. « Jean Drapeau était un homme simple et authentique, un homme de valeurs en même temps qu'un politicien de premier niveau. »

L'entretien dura trois heures au cours desquelles les deux invités ne placèrent que quelques mots. Au bout de ce temps, monsieur le maire, qui n'avait rien perdu, semble-t-il, de ses capacités intellectuelles, ne s'était toujours pas mouillé, n'avait rien accepté, et les deux hommes repartirent bredouilles.

Richard Vigneault, tenace, reprit rendez-vous avec M. Drapeau, et les deux hommes se revirent plusieurs fois, allant même jusqu'à établir une relation. « Je lui parlais de l'Expo et lui me racontait plein de choses. Comment il voyait la politique, les journalistes. Quelquefois, nous prenions l'air. Les chauffeurs d'autobus arrêtaient leur véhicule pour lui parler sur le trottoir. Les gens le saluaient, ils klaxonnaient. Il était encore une véritable vedette. »

Finalement, M. Drapeau accepta de livrer un témoignage en faveur du camp du Non. Un enregistrement vidéo fut fait dans les hauteurs du Château

Champlain, d'où l'on pouvait observer en arrière-champ la ville du maire livrant son témoignage fédéraliste. Voici ce qu'il dit : « Évidemment, je vais voter pour le Québec et pour le Canada du même coup, parce que le Canada aura encore autant besoin du Québec dans l'avenir que le Québec aura besoin du Canada[143]. »

« Nous avons utilisé plusieurs fois cet enregistrement lors de nos rassemblements. Chaque fois que M. Drapeau apparaissait à l'écran, les gens se levaient pour l'applaudir », raconte Richard Vigneault, encore impressionné d'avoir « capturé » l'homme qui s'était tenu loin de tous ces débats durant la majorité de sa carrière et encore plus depuis son retrait de la vie publique.

À partir de 1997, M. Drapeau passa le reste de sa vie auprès de sa femme, de ses enfants et petits-enfants sur l'avenue des Plaines, ne manquant pratiquement jamais la messe du dimanche à l'église Notre-Dame-du-Foyer. Ses amis de toujours, Snyder, Leduc, Bantey, Hannigan, Lynch Staunton et de nombreux autres, continuèrent de le visiter. On lui organisa un petit bureau où il continua à travailler à son livre sur le général de Gaulle. Mais la confusion le gagna. En juillet 1999, à la suite d'une grave détérioration de son état, il fut admis à l'hôpital Maisonneuve-Rosemont. Il n'allait pas en sortir vivant.

Le jeudi 12 août, l'inévitable survint. Jean Drapeau s'éteignit à 83 ans, entouré de sa famille. Ce jour-là, les programmations des stations de radio et de télévision furent interrompues pour annoncer la triste nouvelle. Dans les jours qui suivirent, des milliers de personnes défilèrent à l'hôtel de ville pour lui signifier leur affection. Les funérailles retransmises à la télévision eurent lieu à la basilique Notre-Dame. Ils étaient tous là : les premiers ministres Chrétien et Bouchard, le juge en chef de la Cour suprême Antonio Lamer, Jean Charest, Gilles Duceppe, Jacques Parizeau, Charles Dutoit, Serge Savard, Roger Taillibert, Jean Doré et 2000 citoyens. L'un des trois plus grands politiciens de la deuxième moitié du XXe siècle, avec Pierre Elliott Trudeau et René Lévesque, n'était plus. Celui qui dirigea sa ville plus longtemps que Maurice Duplessis ne dirigea le Québec passa l'arme à gauche.

Une grande histoire d'amour et de chevalerie venait de prendre fin. Le preux et courageux chevalier au service de la nation canadienne-française et du « peuple de Montréal », comme il aimait l'appeler, était descendu de sa monture, la politique, et était rentré mourir dans son fief de Rosemont que lui avaient légué ses parents, partie d'un grand royaume qu'il avait servi pendant 29 ans.

CHAPITRE 17

UN DRAPEAU INDÉLÉBILE

*« Il n'y a qu'une chose que les gens auraient pu me
reprocher : la banalité. »*

Jean Drapeau
Le Devoir, 14 et 15 août 1999

Ce n'est pas pour rien que le nom de Jean Drapeau est
encore sur bien des lèvres 23 ans après son retrait politique. Il fut au pouvoir plus longtemps que tout autre
maire de grande ville en Amérique du Nord, et le nombre de projets importants auxquels il fut associé directement est imbattable. Pourtant, plusieurs de ses collègues
se sont distingués au cours du XXe siècle.

Au Québec, après avoir été ministre provincial,
Jean-Paul L'Allier a établi un record de longévité à
l'hôtel de ville de Québec. Il y passa plus de 15 ans,
de 1989 à 2005. Au cours de ses années de pouvoir,
M. L'Allier laissa sa marque, particulièrement en
matière d'urbanisme. En 2008, l'Ordre des urbanistes
du Québec créa en son honneur le prix « Jean-Paul
L'Allier » remis chaque année à un élu qui se distingue
par sa vision, son leadership et ses réalisations en aménagement du territoire.

Maire de la quatrième ville du Québec, Gilles Vaillancourt, qu'on appelle « le roi de Laval », règne sur son île depuis 20 ans et est actif au Conseil municipal depuis 1973. Ce politicien traditionnel, proche des citoyens, au style secret et quelquefois dictatorial « à la Drapeau », est à la tête d'une municipalité contestée sur le plan de l'urbanisme. M. Vaillancourt a toutefois plusieurs réalisations majeures à son actif. Il est en grande partie responsable de la création d'un premier centre-ville, du raccord au métro de Montréal et de la construction du pont de l'autoroute 25, situé à l'extrémité est de l'île.

Aux États-Unis

Chez nos voisins du sud, le maire de New York, Fiorello LaGuardia, au pouvoir pendant 11 ans, se rendit célèbre dans les années 1930 par son appui au New Deal du président Roosevelt et par sa bataille contre le gangstérisme. Dans les années 1980, Rudolph Giuliani lui emboîta le pas dans une nouvelle lutte contre la criminalité, alors qu'il était procureur du district sud de New York. Son comportement exemplaire lors de la tragédie de septembre 2001 en fit une véritable vedette.

Sam Yorty fut maire de Los Angeles pendant 12 ans. Controversé en raison de ses positions sociales et raciales, c'est tout même sous son règne, de 1961 à 1973, que la ville acquit son statut de métropole.

La carrière de Thomas Menino à titre de maire de Boston est impressionnante. Il a été élu 4 fois depuis 1993 et est toujours en poste au moment de la rédaction de cet ouvrage. Ses réalisations en matière d'habitation, de sécurité publique et d'éducation sont dignes de mention, de même que l'achèvement de ce grand œuvre que constitue « The Big Dig », la revitalisation du centre-ville à partir de la transformation complète du réseau autoroutier le traversant, conçu dans les années 1960 et qu'on a maintenant enfoui sous terre.

Richard. J. Daley est probablement le maire nord-américain qui peut le mieux rivaliser avec Jean Drapeau. Ce politicien démocrate à la fois adoré et détesté fut maire de Chicago pendant 21 ans, élu 6 fois de 1955 à 1976. Responsable de la revitalisation du centre-ville, de la construction de l'aéroport international O'Hare, de la mise en place d'un important réseau autoroutier ainsi que de nombreux faits d'armes immobiliers, il fut controversé, particulièrement à la fin des années 1960, alors que sa ville fut aux prises avec les mouvements étudiants et de gauche qui caractérisèrent cette époque. Son administration fut aussi accusée de corruption sans qu'il en fût lui-même tenu responsable. Fait remarquable, son fils, Richard M. Daley, est aussi devenu maire de la ville. Élu en 1989, il en est aussi à sa sixième réélection. De style impérial selon les médias, populaire, même si son administration comme celle de son père fut accusée de malversations, il a redonné une vocation touristique à la ville des vents en plus d'agir activement en matière de transport et d'environnement.

On pourrait ajouter d'autres noms à cette liste, mais jamais ils ne pourraient faire ombrage à celui de Jean Drapeau. Selon le spécialiste de politique John Parisella, aucun maire d'Amérique du Nord ne fut aussi influent et n'eut autant d'importance que lui au cours du dernier siècle. Il fut l'un des plus importants politiciens de l'histoire du Québec et du Canada. Sa réputation fut internationale ; sa carrière, incontournable.

Toute une vie pour Montréal

Les chances de revoir un autre chevalier servant comme Jean Drapeau à Montréal sont donc aussi minces que celles de voir sire Lancelot et ses amis de la Table ronde réapparaître, festoyant sur le mont Royal.

Son parcours fut en tous points hors du commun. Dès sa prime jeunesse, le frêle Jean se prépara à la vie publique. D'où lui venait cette impulsion ? D'une mère qu'il voulait venger, elle qui aurait souhaité être grande cantatrice et qui dut se contenter de son rôle maternel ? D'où lui vint cette autorité naturelle qui en imposait à tant de ses commettants ? D'un père sévère et distant à qui il voulait prouver qu'il était un homme ? « On ne dit jamais non à Jean Drapeau », me dit un jour l'une de ses collaboratrices assidues.

D'où tira-t-il cette capacité de travail hors du commun et cet acharnement à la réussite ? Est-il question ici de résilience forgée à l'aune des maladies de sa sœur et sa mère, qui le marquèrent profondément ?

Jean Drapeau n'était pas de famille riche. Il dut « bûcher » pour payer ses études et devenir avocat. C'est au cours de cette période qu'il développa ses talents d'orateur qui lui servirent si souvent, ainsi qu'aux citoyens de sa ville. C'est aussi durant ses études qu'il développa ce souci maladif de préparation de ses dossiers qui allait impressionner tant de politiciens et fonctionnaires par la suite. Toute sa vie, il ne cessa de lire et écrire jusqu'au petit matin, traînant avec lui des valises pleines de documents, à la recherche de réponses. « Lorsque les solutions ne s'imposent pas, disait-il, il faut éliminer les problèmes. »

Durant ses premières années d'adulte, imbu d'une mission imprécise, agissant à la limite de la caricature, le frais émoulu d'université devint presque une attraction, un producteur d'événement : Venez ! Entrez ! Venez entendre le plus grand tribun de l'heure : Jean Drapeau. Seulement 50 cents !

Le hasard fit qu'il trouva un mentor-chanoine sur son chemin. Il devint alors l'émule et le confident d'un homme exigeant qui influença toute une génération. Il voulut prouver, comme l'abbé souhaitait le démontrer, qu'un Canadien français était capable de grandes choses. Pour ce faire, il défendit le peuple du Québec au moment de la Seconde Guerre mondiale contre l'envahisseur, plus anglais qu'allemand. Sa prédestination lui permit ensuite de redonner à sa ville une certaine probité. Ses talents d'enquêteur et de plaideur devant le crime et la corruption furent à ce point remarqués qu'ils auraient pu suffire à lui assurer un avenir plein de dorures.

Pourtant, il ne se contenta pas de ce succès d'estime. Il se voyait et se savait plus grand.

À la faveur du retrait de « monsieur Montréal », il réussit à se faire élire une première fois à la mairie. Gonflé d'euphorie, la tête lui tourna pendant un certain temps, et la démocratie, même incertaine, le rappela à l'ordre. Après avoir pris la route des tribunes du Québec, où il imagina des horizons plus larges pour lui et les siens, il se fit élire une deuxième fois à la tête d'un véritable parti, issu des réformes auxquelles il avait contribué. Il s'installa, perpétuel et indestructible.

Et puis ce fut l'explosion. Jean Drapeau, faisant flèche de tout bois moderne, devint le phénomène dont on parle encore. À la faveur de ses projets, réussis pour la plupart, déterminants la plupart du temps, il donna confiance, espoir et ouverture aux siens. Il tissa une toile internationale digne de chefs d'État et mit en garde les politiciens du pays. Il passa à travers la crise

linguistique, la violence extrémiste, la révolution féminine, l'éclatement des familles et la dégringolade ·
religieuse sans y laisser sa peau.

Montréal connut alors une incomparable période
de développement marquée par le béton et les feux d'artifice. La signature de Jean Drapeau apparut, indélébile,
originale, ample et onéreuse. Et puis le monde changea.
Sans monsieur le maire.

Comme tant d'autres avant et après lui, il
commença à se mal juger. Il ne sut pas quand s'arrêter,
embrassant trop large, se libérant de toute contrainte
qui l'empêcherait d'aller jusqu'au bout. C'est alors
qu'on le frappa au plexus. Il plia les genoux et se releva
péniblement. Incapable de se refaire et de prendre la
pleine lecture de ce qui lui arrivait, il commit l'erreur
de s'accrocher à son cheval, ne pouvant s'imaginer
autrement que là où il avait été le meilleur et où il ne
voyait personne d'autre. Pourquoi aurait-il abdiqué ?
On l'aimait comme on adule affectueusement les
battants, héros issus du peuple. Rien d'autre que
l'usure du temps et du corps ne lui indiquèrent la sortie. Et un jour il s'en fut, par arrêt de son propre
arbitre.

Pendant le reste de sa vie, jusqu'à ce que le désor-
dre de l'esprit le gagne, des milliers de gens, admira-
teurs et détracteurs, vinrent à sa rencontre, le saluant,
fascinés et respectueux devant un parcours si singulier.
Il les saluait à son tour de sa canne ou, lorsque reçus
à son bureau enseveli de 40 ans de souvenirs, leur faisait du café et leur offrait des fruits ou du chocolat.
Son cœur, pourtant si défaillant, battait encore pour
un peu de chaleur humaine et de reconnaissance. Et
puis il mourut près des siens.

Le passage de Jean Drapeau sur cette terre n'eut rien de cette banalité qu'il redoutait tellement. Il fut digne des grands personnages romanesques, à la limite du déséquilibre, attachant et presque surhumain. C'est pourquoi il est « passé à l'histoire ». Je crois que c'est ce qu'il souhaitait au fond de lui-même quand pourtant il disait, le plus sérieusement du monde, qu'on l'oublierait bien vite.

Chapitre 18

L'héritage du rêve

« *Ma satisfaction personnelle naît du fait que mes
concitoyens dans l'ensemble sont fiers de leur ville. Ils en
sont venus à considérer au cours du dernier siècle que
Montréal constituait un coin privilégié de l'Amérique du
Nord et non plus un village. Ils en sont venus à connaître
le monde et à être connus du monde entier.* »

Jean Drapeau
Le Devoir, 14 et 15 août 1999

Lorsqu'on se met à imaginer une nouvelle ère de
développement pour la ville, le nom de Jean Drapeau
surgit, quelquefois comme un modèle, toujours comme
une référence. Depuis le retrait politique de M. Drapeau
en 1986, 3 administrations se sont succédé : celles de Jean
Doré, de Pierre Bourque et de Gérald Tremblay. Héritières
obligées de l'action du célèbre maire pendant 29 ans, elles
ont toutes été aux prises avec le même dilemme. Montréal
doit-il poursuivre et a-t-il toujours les moyens de ses
ambitions et de ses réalisations des années 1960 et 1970 ?

Le maire du grand réveil

En 1967, « probablement grisés par le succès de l'Expo »,
affirme Éric Trudel dans son livre *Montréal, ville*

d'avant-garde ?, des fonctionnaires de la Ville de Montréal prévoyaient qu'en 1982 on aurait ajouté 100 km de tunnels au réseau de métro, dont 4 passages sous la rivière des Prairies ! « Cette belle utopie, dit Trudel, qui n'est pas la seule de sa catégorie, démontre deux choses : d'abord qu'il n'y a rien comme la réussite d'un gros projet pour stimuler l'imagination et l'enthousiasme, mais aussi qu'enthousiasme et lucidité ne vont pas nécessairement de pair[144]. »

Plusieurs choix de développement faits à l'époque de Drapeau tenaient à une effervescence pratiquement irrépressible, à la limite de l'inconscience. Parlant de la Révolution tranquille, René Lévesque se confia un jour de 1981 à Pierre Marc Johnson, en marge d'un Conseil des ministres. « Est-ce qu'on a été vraiment responsables à cette époque ? On agissait comme dans un bar ouvert. Mais l'intérêt collectif était tellement omniprésent[145]. »

Durant la même période, on pouvait pourtant observer que le déclin de Montréal à titre de métropole économique et financière était bel et bien amorcé et probablement irréversible.

Jean Drapeau ne fit que peu de cas de ces perspectives et états de situation. Il avait décidé depuis longtemps de foncer, avec la ferme intention de prouver au monde entier qu'un petit Canadien français du quartier Rosemont était capable de s'élever au-dessus de la mêlée, ainsi que « sa » ville. Ce faisant, il savait que le « peuple » de Montréal suivrait, comme tous les habitants de cette planète quand on leur offre du beau et du grand. A-t-il vraiment réussi ? Cet exemple est-t-il à suivre ?

L'éditorialiste du *Devoir* Paul-André Comeau écrivit en 1986 que le principal titre de gloire de Jean Drapeau fut « indubitablement d'avoir empêché la provincialisation de Montréal qui se dessinait à la fin des années 1940. » L'historien Paul-André Linteau, grand spécialiste de Montréal, estime quant à lui qu'en voulant donner une stature internationale et de métropole à Montréal Jean Drapeau a largement contribué à son déclin[146]. Anik Germain, professeure titulaire et chercheuse à l'INRS-Urbanisation, Culture et Société, considère aujourd'hui Montréal comme l'une des trois métropoles du Canada avec Toronto et Vancouver, qui sont « trois univers différents qui incarnent à leur manière une facette de la diversité canadienne[147]. »

De fait, quand on pense à ce qu'il en a coûté et en coûte toujours pour réaliser et entretenir les rêves de Jean Drapeau, qui ont permis, réellement faut-il dire, à Montréal de rayonner dans le monde, on peut s'interroger sur la pertinence des choix que fit, au début des années 1960, l'impossible maire.

Infrastructures disproportionnées dont certaines sont à la limite de la vétusté, équipements sous-utilisés et déficitaires, exode des familles vers les rives nord et sud de l'île, tissu urbain troué, sous-investissements dans les infrastructures de base, voilà une partie de l'héritage laissé par Jean Drapeau. Tout cela parce que Montréal n'est pas devenu la métropole internationale qu'il a souhaité bâtir jusqu'au milieu des années 1980.

Ce n'est peut-être pas si grave puisque les solutions se trouvent possiblement ailleurs. Plusieurs penseurs et chercheurs qui s'intéressent au développement des villes, dont Richard Florida, croient que l'avenir des villes passe par la concentration d'activités de créativité et d'innovation. Elizabeth Currid, dans un livre intitulé *The Warhol Economy*, a mesuré la concentration de différents types d'emplois à New York et leur incidence sur l'économie. Or, selon elle, il est évident que « the Big Apple » profite plus de sa grande population de designers, artistes et créateurs en tous genres que de ses banquiers[148].

Sur ce plan, il est indéniable que Jean Drapeau aura contribué à sa manière à faire de Montréal une ville créative. Son ouverture à la culture, surtout la « grande », du moment qu'elle n'était pas trop dérangeante, la mise en place de structures et d'équipements importants, sa préoccupation pour le développement de programmation à même l'organisation de ses grands événements, ont permis aux secteurs culturel et du design d'émerger et de constituer aujourd'hui deux des principales forces de la ville. Les nombreux événements et festivals créés à la fin des années 1970 et qui font le Montréal d'aujourd'hui n'auraient peut-être jamais existé sans son impulsion.

Mauvaise nouvelle pour les détracteurs du maire, toujours selon les spécialistes du monde des villes, il semble aussi que l'étalement urbain, coûteux pour les grandes villes et pour l'économie en général et auquel on associe directement Jean Drapeau, est un phénomène qui s'essouffle. Le rêve d'espace, d'acquisition de belles et grosses propriétés à tout prix, tellement plus facile à considérer en banlieue, serait, semble-t-il, en train de mourir. Si cela est vrai et que les gens se mettent à revenir ou à rester en ville, les dispendieux équipements dont Jean Drapeau a doté Montréal pourraient dès lors s'en trouver justifiés !

Grâce à son action, Jean Drapeau a donné à sa ville un métro remarquable et un centre-ville comparable à bien d'autres en Amérique du Nord. De plus, selon le politologue Jacques Léveillée, « il a contribué à l'émergence d'une économie tertiaire[149]. » Il a inscrit la métropole dans de multiples réseaux internationaux qui profitent à tout le Québec et au Canada. Plusieurs réalisations de son administration en fin de mandat, des Maisons de la culture jusqu'aux milliers de logements construits au début des années 1980, sont aussi dignes de mention.

Comme nous l'avons vu, l'homme a laissé un héritage énorme et mitigé qui constitue qu'on le veuille ou non, encore aujourd'hui, une mesure étalon. Mais au bout du compte, Montréal peut-il encore se développer comme au cours des années 1960, et sinon à partir de quelle lecture doit-on continuer à bâtir la ville?

Montréal impossible à développer?

Une grande partie des critiques que l'on adresse aux décideurs de la Ville depuis Jean Drapeau est que les projets de développement n'en finissent plus de s'éterniser ou tout simplement de mourir. Les réussites que sont par exemple la revitalisation du quartier Saint-Michel grâce à l'implantation du siège social et des ateliers du Cirque du Soleil, de l'École nationale de cirque et de la Tohu, la transformation des usines Angus en un milieu de vie adéquat ou encore l'aménagement récent du « Quartier des spectacles », à qui il faudra donner vie mais qui permet de redynamiser tout un secteur, ne semblent pas faire échec à la morosité ambiante.

Les projets de construction du Centre hospitalier universitaire de Montréal (CHUM) et la réfection du plus important échangeur autoroutier du Québec (l'échangeur Turcot) qui sont engagés dans de très longs et complexes processus, sont, pour ne citer que ceux-là, objets de railleries et de cynisme, et contribuent au pessimisme municipal ambiant (*alors que ce sont avant tout, faut-il le rappeler, des projets dirigés par le gouvernement du Québec*).

Impossible de réaliser de grands projets à Montréal? Il est intéressant de noter qu'il aura fallu 50 ans de discussions et d'études pour réaliser le métro, et près de 20 ans pour ériger la tour de Radio-Canada. Camilien Houde essaya 2 fois durant les années 1930 et 1940 d'obtenir les Jeux olympiques avant que Jean Drapeau réussisse en 1970. Même s'il réussissait plus que les autres à concrétiser ses projets, une chose apparaît évidente à l'observation de son parcours : il n'a jamais été simple de réussir des projets dans cette ville.

Le report d'importants projets immobiliers et commerciaux comme celui de Griffintown dans le sud-ouest de la ville annoncé en 2008, l'incertitude autour du Grand Prix automobile de Formule 1, la tergiversation entourant la transformation de la rue Notre-Dame dans l'est de la ville (*prolongement de l'autoroute Ville-Marie qui n'a jamais été complétée*) font aussi dire aux tenants de la thèse du « Montréal bloqué » que la Ville s'y prend mal en matière d'accueil et de soutien de projets et d'activités d'envergure. Plusieurs rêvent de structures municipales plus souples, plus simples et, bien sûr, de soutien accru.

Le Casino qui ne déménagea pas

Le plus bel exemple de ce qui a contribué au pessimisme qui prévaut depuis plusieurs années est probablement la réaction qu'eurent plusieurs observateurs lors de l'avortement en 2006 du projet de déménagement du Casino de Montréal de l'île Notre-Dame vers le sud-ouest. Cette aventure illustre parfaitement la complexité de développer à Montréal, plus que partout au Québec, et les limites de la métropole provinciale quant à l'accueil de projets d'envergure.

Loto-Québec savait depuis plusieurs années que ses installations de l'île Notre-Dame dans les anciens pavillons de la France et du Québec, reliques d'Expo 67, n'étaient plus adéquates. Le Casino de Montréal avait été mis en place en 1993 par le gouvernement du Québec dans ces installations devenues trop chères à entretenir par la Ville de Montréal. L'administration du RCM de Jean Doré et de Léa Cousineau, peu encline au développement de l'industrie du jeu, avait procédé un peu à son corps défendant. Mais dans la mesure où cela soulageait la Ville financièrement (*Montréal a reçu 240 millions de dollars dans le cadre d'un « contrat de ville » qui incluait cette transaction*) et que le projet se faisait précisément dans les îles, plus faciles à circonscrire d'un point de vue de criminalité, ça pouvait toujours aller.

Dix ans plus tard, le Casino, même rénové et agrandi à son maximum sur les terrains existants, était devenu petit à petit un équipement de classe B à l'échelle nord-américaine. La compétition féroce en provenance de l'Ontario et du Nord-Est américain se faisait sentir, y compris dans les goussets du ministre des Finances du Québec, Michel Audet, en attente hebdomadaire de rentrées d'argent de la part de ses sociétés d'État, dont celle qui fait jouer les contribuables.

Projet fut donc entrepris de créer un tout nouveau concept, plus sophistiqué et plus haut de gamme, basé sur une offre de jeu réduite, mais potentiellement plus payante, car plus alléchante pour les joueurs plus riches. Pour ce faire, Loto-Québec décida de s'associer un partenaire de création, le Cirque du Soleil, qui justement travaillait depuis plusieurs années à des projets multiformes de ce type, appelés « les complexes Cirque », sans toutefois avoir pu en concrétiser un seul.

Confiant que la « marque » Cirque du Soleil allait compenser pour celle de Loto-Québec, plus faible étant donné son activité principale déconsidérée par une partie de l'opinion publique, on fit une annonce en grande pompe du projet qui allait prendre place dans le principal bastion de la gauche socialisante montréalaise, le sud-ouest, formé par la Pointe Saint-Charles, Saint-Henri et la Petite-Bourgogne.

Le choix de cet emplacement tenait en partie aux difficultés qu'avait eues Loto-Québec à s'installer plus à l'est, dans la Cité du Havre, et au fait que le projet tel qu'il avait été conçu, plus ouvert et plus « soft » que les autres installations de ce type en Amérique, pouvait contribuer à revitaliser le sud-ouest en attente de développement depuis des décennies.

Dès l'annonce du projet, les groupes citoyens du sud-ouest qui n'avaient que peu ou pas été consultés officiellement s'opposèrent à la venue du Casino dans leur secteur. Les chances de nuisances (criminalité, achalandage, circulation, etc.) étaient selon eux beaucoup plus grandes que les avantages potentiels que leur petite république pourrait en tirer.

Le projet de plus d'un milliard de dollars commença tout de même à se développer. La contestation s'organisa bel et bien, elle aussi. Tout y passa, y compris l'existence même de « l'exploiteuse de vices » Loto-Québec, pourtant créée pour réglementer une activité humaine qui existe partout dans le monde depuis la nuit des temps et qui a tout à fait avantage à être gérée par l'État lorsque ce dernier ne devient pas trop gourmand.

La campagne que menèrent les opposants du sud-ouest contre la venue du Casino et, tant qu'à y être, contre toute amélioration de l'offre de jeu à Montréal et même au Québec eut son effet. Pour tenter de démolir le projet, ils indiquèrent habilement toute une série de considérations qui n'avaient pas été prises en compte jusque-là par Loto-Québec, si bien que l'on commença à croire que les promoteurs allaient reculer et que les irréductibles allaient gagner. Partant de là, plusieurs politiciens prirent leurs distances du projet, y compris au gouvernement du Québec.

À la fin de 2005, le ministre des Finances du Québec demanda au célèbre serviteur de l'État québécois, Guy Coulombe, d'analyser le projet.

M. Coulombe rendit son rapport en mars 2006. Essentiellement, il recommanda à Loto-Québec d'y aller doucement, de travailler en plus grande concertation avec le milieu et surtout de retourner à sa table à dessin, car le projet tel qu'il était conçu ne portait pas sa bonne part de rentabilité, raison fondamentale de tous ces efforts. C'est donc tout autant à cause de la faible rentabilité du projet que de la contestation du milieu que le projet fut mis en observation, entraînant sa mort. Venait-on de découvrir une fois de plus les limites bien réelles de Montréal ? La ville n'était pas assez grosse, ne pouvait pas attirer assez de touristes et de fortunes pour recevoir un projet de ce type, même porté dans sa conception par le Cirque du Soleil. Voilà la triste vérité.

Quand le fondateur du Cirque Guy Laliberté apprit que le projet n'obtenait qu'un appui du bout des lèvres du gouvernement du Québec et comprit que des délais de plusieurs années venaient de s'ajouter, il se sentit trahi. Lui qui croyait que le premier ministre Jean Charest, le maire de Montréal Gérald Tremblay et tous les autres allaient foncer contre vents et marées, animés par un magnifique projet d'un milliard de dollars, créatif et porteur à souhait, n'en revint pas de ce qui, à ses yeux comme à ceux de beaucoup d'autres, n'était que faiblesse et mièvrerie. Appuyé par son PDG Daniel Lamarre, il décida de se retirer immédiatement. Aussitôt que le Cirque fit connaître sa décision, dans la même journée, Loto-Québec, privée de son as, annonça qu'elle mettait le projet de côté. (*Loto Québec a annoncé en 2009 un projet de rénovation de 300 millions de dollars sur l'emplacement actuel.*)

Jean Drapeau, lui, aurait-il foncé et gagné ? C'est ce dont rêvent encore beaucoup de gens qui se désolèrent publiquement de l'abandon de ce projet. Ils accusèrent à mots à peine couverts les politiciens trop faibles et tous les ralentisseurs de développement de Montréal, ici les adeptes du communautaire, de la consultation et de la planification urbaine. Un vrai leader comme Jean Drapeau aurait-il réussi ? Peut-être, mais à quel prix économique et social pour une ville incapable d'absorber un si gros morceau ?

Le manque de vision

Jean Drapeau, pour les raisons que l'on sait, avait une vision à la fois simple et ambitieuse de Montréal : il fallait en faire une métropole d'envergure internationale. Depuis 25 ans, les administrations qui se sont succédé ont toutes été moins entreprenantes, préférant établir un équilibre entre qualité de vie, finances en santé et développement. Bien sûr, elles ont tenté de garder à Montréal son statut de ville dite « internationale ». Durant ses mandats, l'administration du RCM organisa d'importants rendez-vous internationaux comme le Sommet des grandes villes du monde ou « Montréal, ville d'hiver » et se fit un devoir d'attirer autant de sièges sociaux internationaux que possible. Le maire Gérald Tremblay organisa en 2002 un important sommet réunissant plus de

3000 personnes à des fins d'orientations de la ville. Le maintien d'un statut international en faisait partie. Il fit aussi des pieds et des mains pour sauver le Grand Prix automobile et les Championnats mondiaux de natation qui n'arrivaient pas à se financer.

Mais contrairement aux années Drapeau et, fautil le rappeler, aux débordements qu'elles ont engendrés, qui auraient pu être encore plus coûteux pour les contribuables n'eût été de Lucien Saulnier et Yvon Lamarre, la plupart de ceux et celles qui ont dirigé la Ville depuis ont choisi de s'éloigner des visées grandioses de l'irrésistible maire. Est-ce pour cela que l'on dit aujourd'hui que Montréal manque de vision?

Depuis un quart de siècle, les sommets sur l'avenir et le développement de Montréal ainsi que les études de toutes sortes cherchant à démontrer les voies à suivre pour la ville n'ont pas manqué. Et les modèles à considérer non plus : si Barcelone, Bilbao, Édimbourg, Portland, etc. réussissent se démarquer, pourquoi pas Montréal? C'est de ces exemples et réflexions que sont nés différents axes prioritaires et plans pour la métropole. Montréal ville de design (selon le rapport Picard publié en 1986), Montréal ville de savoir (résultant du Sommet sur Montréal organisé lors du premier mandat de l'administration Tremblay), Montréal 2025 (plan de développement de plusieurs milliards de dollars proposé par l'administration Tremblay, incluant le Quartier des spectacles, la Cité du Havre et Montréal Technopole intégrant le Centre hospitalier universitaire, CHUM) sont autant de tracés d'avenir esquissés au fil des décennies pour une métropole qui, dit-on néanmoins, n'arrive pas à se brancher, à tel point qu'on se demande s'il ne faudrait pas démolir ses autoroutes pour tout reprendre à zéro[150].

De tous ces fils conducteurs, celui d'une « métropole culturelle » intègre plusieurs des forces de la ville développées au cours des 50 dernières années. Créativité pure, volonté de recherche fondamentale et appliquée, sens de la fête, de l'événement, entrepreneuriat, rayonnement international, préoccupation patrimoniale, métissage composent ce positionnement certainement porteur sur les plans économique, touristique et de qualité de vie citoyenne. Mais les choses se compliquent lorsque des villes comme Toronto et même Québec rivalisent avec Montréal à ce chapitre. Toronto la riche serait-elle mieux équipée et en avance sur Montréal sur le plan international ? Québec se ferait-elle plus belle et plus spectaculaire, plus facilement ? Accorder le statut de métropole culturelle ou même de création à Montréal n'est pas chose simple, et plus encore lorsque vient le temps de définir de quelle culture il s'agit : francophone, bilingue, multiculturelle ? La personnalité de Montréal ne comprend-elle pas avant tout ces trois types confondus ?

Décidément, aucune appellation ne semble vouloir coller à Montréal depuis celle de métropole internationale que voulut lui donner monsieur le maire Drapeau. Et de celle-là, Montréal n'a plus les moyens depuis longtemps.

Et si l'observation du parcours de Jean Drapeau nous enseignait tout simplement que Montréal ne doit plus jouer à la grenouille qui veut se faire plus grosse que le bœuf ? Et si la lecture de l'œuvre de Jean Drapeau nous apprenait que les citoyens de cette ville sont d'intérêts multiples, débrouillards autant que créatifs, à la fois travailleurs et gens de famille, amoureux de leurs quartiers si différents les uns des autres, portés à la fête et à la convivialité plus qu'au grandiose, jaloux de leur qualité de vie citoyenne, de leur cohabitation pacifique, toutes choses enviables à l'échelle de la planète? Mais cela ne traduit peut-être pas une véritable vision comme en cherchent tant de développeurs qui croient, comme Jean Drapeau le croyait, qu'il n'y a de raison d'exister que dans la recherche du dépassement ou l'atteinte de l'inaccessible étoile. Et si Jean Drapeau avait tout simplement amené les Montréalais trop loin? C'est, au bout de mon analyse du parcours du personnage, la conclusion à laquelle j'en arrive.

Un vrai leader?

Plusieurs croient que la solution pour Montréal est l'arrivée au pouvoir d'un grand leader… comme Jean Drapeau. Si l'homme était incontestablement hors du commun, il agit à une époque où la ville de Montréal représentait les deux tiers de la grande région montréalaise sur les plans économique, démographique et politique. À cette époque, la métropole était un véritable enjeu pour qui voulait se faire élire au gouvernement du Québec. Jean Drapeau le savait et s'en servait. Ce n'est plus le cas. Depuis 30 ans, la voix de Montréal ne résonne plus aussi fort au Parlement. La carte électorale provinciale reste pratiquement inchangée d'élection en élection, le sort des gouvernements du Québec se jouant beaucoup plus dans les régions périphériques et éloignées. Alors pourquoi tenter de gagner Montréal à tout prix?

Le leader Drapeau sévit à un moment de notre histoire où il pouvait exercer son action sans grandes préoccupations démocratiques, écologiques, sociétales, et pratiquement sans encadrement technocratique, toutes matières qui sont devenues, qu'on le veuille ou non, des règles d'avancement plus lent de nos sociétés. Il dirigea aussi Montréal au moment où l'économie était forte et où la montée nationaliste canadienne-française agissait comme une potion magique sur la société tout entière.

Toutes ces conditions, dont n'ont pu bénéficier ses successeurs, ne se reproduiront pas à court et moyen termes. L'arrivée d'un sauveur est-elle néanmoins possible ? Le sondeur Jean-Marc Léger, dans une chronique publiée en février 2009 dans le *Journal de Montréal,* affirmait ceci à partir des résultats d'un sondage portant sur la popularité des candidats à l'élection à tenir en novembre de cette même année : « Les Montréalais recherchent un leader inspirant qui les mobilisera autour d'un grand projet rassembleur. Jean Drapeau en a été le meilleur exemple… »

Quelle est donc la part du rêve dans nos vies ?

Benoit Gignac
Saint-Sauveur
27 août 2009

NOTES

[1] LINTEAU (Paul-André). *Brève histoire de Montréal*, Boréal, 2007.

[2] McKENNA (Brian) et PURCELL (Susan). *Jean Drapeau*, Stanké, 1981.

[3] *La Presse*, 28 juin 1986.

[4] McKENNA (Brian) et PURCELL (Susan). *Op. cit.*

[5] *Ibid.*

[6] LINTEAU (Paul-André). *Op. cit.*

[7] McKENNA (Brian) et PURCELL (Susan). *Op. cit.*

[8] *Ibid.*

[9] *Ibid.*

[10] *Ibid.*

[11] *Ibid.*

[12] *Ibid.*

[13] RUMILLY (Robert). *Histoire de Montréal*, Fides, 1974.

[14] *Ibid.*

[15] McKENNA (Brian) et PURCELL (Susan). *Op. cit.*

[16] *Ibid.*

[17] McKENNA (Brian) et PURCELL (Susan). *Op. cit.*

[18] RUMILLY (Robert). *Op. cit.*

[19] *Ibid.*

[20] McKENNA (Brian) et PURCELL (Susan). *Op. cit.*

[21] *Ibid.*

[22] McKENNA (Brian) et PURCELL (Susan). *Op. cit.*

[23] ENGLISH (John). *Trudeau citoyen du monde*, Tome 1, Éditions de l'Homme, 2006.

[24] McKENNA (Brian) et PURCELL (Susan). *Op. cit.*

[25] *Le Devoir*, 19 août 1944.

[26] *Le Devoir*, 16 août 1999.

[27] GIGNAC (Benoit). *Le destin Johnson*, Stanké, 2007.

[28] McKENNA (Brian) et PURCELL (Susan). *Op. cit.*

[29] *La Presse*, 14 août 1999.

[30] McKENNA (Brian) et PURCELL (Susan). *Op. cit.*

[31] GIGNAC (Benoit). *Lucien Rivard, le caïd au cœur du scandale*, éditions Voix Parallèles, 2008.

[32] GERMAIN (Jean-Claude). *Le cœur rouge de la bohème, historiettes de ma première jeunesse*, HMH, 2008.

[33] CREUSOT (Daniel). *En quête de Jean Drapeau*, Sovimage, 1999.

[34] McKENNA (Brian) et PURCELL (Susan). *Op. cit.*

[35] PLANTE (Pax). *Montréal sous le règne de la pègre*, Éditions de l'Action nationale, 1949.

[36] RUMILLY (Robert). *Op. cit.*

[37] *Ibid.*

[38] RUMILLY (Robert). *Op. cit.*

[39] *La Presse*, 16 décembre 1954.

[40] Selon la revue *Airline Business*, en 2009, l'aéroport qui s'appelle maintenant Montréal-Trudeau ne rivalise même plus avec Toronto et Vancouver, mais bien avec Calgary.

[41] LINTEAU (Paul-André). *Op. cit.*

[42] DUCHESNE (André). *Le Canadien : un siècle de hockey à La Presse*, Éditions La Presse, 2008.

[43] RUMILLY (Robert). *Op. cit.*

[44] LEGAULT (Guy R.). *La ville qu'on a bâtie*, Liber, 2002.

[45] *La Presse*, 14 septembre 1962.

[46] CREUSOT (Daniel). *Op. cit.*

[47] *La Presse*, 15 août 1999.

[48] DUVAL (Laurent). *L'étonnant dossier de la Place des Arts*, Louise Courteau éditeur, 1988.

[49] RUMILLY (Robert). *Op. cit.*

[50] *Ibid.*

[51] *Le Devoir*, 26 octobre 1957.

[52] McKENNA (Brian) et PURCELL (Susan). *Op. cit.*

[53] RUMILLY (Robert). *Op. cit.*

[54] *Ibid.*

[55] LACOURSIÈRE (Jacques). *Histoire populaire du Québec, 1960-1970*, Septentrion, 2008.

[56] D'autres observateurs et témoins de la carrière de M. Drapeau, comme Claude Ryan et Paul Leduc, croient qu'à partir des

années 1950 il n'a jamais été dans les intentions de M. Drapeau de bifurquer vers la politique provinciale ou fédérale.

[57] RUMILLY (Robert). *Op. cit.*

[58] ENGLISH (John). *Op. cit.*

[59] RUMILLY (Robert). *Op. cit.*

[60] McKENNA (Brian) et PURCELL (Susan). *Op. cit.*

[61] PATENAUDE (J.-Z.-Léon). *Le vrai visage de Jean Drapeau*, Éditions du Jour, 1962.

[62] *La Presse*, 29 juin 1986.

[63] John Lynch Staunton, qui allait jouer un rôle important au cours des années à venir, entra aussi en scène pour Jean Drapeau et lui ouvrit de nombreuses portes dans cette communauté.

[64] CREUSOT (Daniel). *Op. cit.*

[65] *La Presse*, 24 octobre 1960.

[66] McKENNA (Brian) et PURCELL (Susan). *Op. cit.*

[67] *Ibid.*

[68] Saint-Michel en 1968 et Pointe-aux-Trembles en 1982 seront les 2 autres annexions faites sous le règne Drapeau.

[69] D'après le nom du premier maire de Montréal.

[70] DUVAL (Laurent). *Op. cit.*

[71] La Place des Arts, devenue un véritable centre culturel de plus en plus ouvert et démocratique, offrait en 2007 plus de 1000 représentations de toutes sortes à plus d'un million de spectateurs fréquentant ses 5 salles situées en plein cœur du Quartier des spectacles, que l'institution a contribué à créer.

[72] LEGAULT (Guy R.). *Op. cit.*

[73] LINTEAU (Paul-André). *Histoire de Montréal depuis la Confédération*, Boréal, 1982.

[74] Site de la Ville de Montréal.

[75] Selon l'historien Rumilly, c'est l'administration Fournier-Savignac qui aurait convaincu Radio-Canada de s'installer là où elle se situe maintenant.

[76] LEGAULT (Guy R.). *Op. cit.*

[77] CLAIROUX (Benoît). *Le métro de Montréal, 35 ans déjà*, HMH Hurtubise, 2001.

[78] McKENNA (Brian) et PURCELL (Susan). *Op. cit.*

[79] Les amateurs d'architecture et de design auraient tout intérêt à lire à ce sujet *La ville qu'on a bâtie* de Guy R. Legault, cité précédemment.

[80] LEGAULT (Guy R.). *Op. cit.*

[81] *La Presse,* juin 1986.

[82] Le même phénomène se produisit lors des fêtes du 350ᵉ anniversaire de Montréal et du 400ᵉ de Québec.

[83] *La Presse,* 29 juin 1986.

[84] LEGAULT (Guy R.). *Op. cit.*

[85] *Le Devoir,* 11 décembre 1964.

[86] RUMILLY (Robert). *Op. cit.*

[87] *La Presse,* 13 novembre 1999.

[88] *La Presse,* 16 août 1999.

[89] Plusieurs théories existent quant au fait que M. de Gaulle décida à la dernière minute de s'adresser à foule. Si tel fut le cas, pourquoi y avait-il là un système d'amplification adéquat ? Pierre Marc Johnson, qui travaillait cet été-là au service du protocole du gouvernement du Québec et qui suivit le général dans son voyage de Québec à Montréal, affirme qu'un tel système était bel et bien là en permanence, mais qu'il n'était pas en fonction (voir GIGNAC (Benoit), *Le destin Johnson, op. cit.*). René Lévesque raconte quant à lui dans ses mémoires que c'est un technicien de Radio-Canada qui effectua les branchements après que le général eut demandé à s'adresser à la foule.

[90] McKENNA (Brian) et PURCELL (Susan). *Op. cit.*

[91] *Ibid.*

[92] LEGAULT (Guy R.). *Op. cit.*

[93] McKENNA (Brian) et PURCELL (Susan). *Op. cit.*

[94] *Ibid.*

[95] *Ibid.*

[96] GIGNAC (Benoit). *Québec 68, l'année révolution,* Éditions La Presse, 2008.

[97] CREUSOT (Daniel). *Op. cit.*

[98] Tiré de l'entrevue avec Lawrence Hannigan.

[99] LACOURSIÈRE (Jacques). *Op. cit.*

[100] McKENNA (Brian) et PURCELL (Susan). *Op. cit.*

[101] LACOURSIÈRE (Jacques). *Op. cit.*

[102] LECLERC (Jean-Claude). *Le Devoir,* 14 novembre 1969.

[103] LACOURSIÈRE (Jacques). *Op. cit.*

[104] LECLERC (Jean-Claude). *Le Devoir,* 14 novembre 1969.

[105] LEDUC (Paul). *The Life, Times and Travels of Paul Leduc, a Memoir,* ouvrage publié à compte d'auteur, 2008.

[106] LACOURSIÈRE (Jacques). *Op. cit.*

[107] Entretien avec Paul Leduc, février 2009.

[108] McKENNA (Brian) et PURCELL (Susan). *Op. cit.*

[109] *Le Devoir*, 27 octobre 1970.

[110] McKENNA (Brian) et PURCELL (Susan). *Op. cit.*

[111] *Ibid.*

[112] *Ibid.*

[113] *La Presse*, 15 mai 1970.

[114] CREUSOT (Daniel). *Op. cit.*

[115] *La Presse*, 14 août 1999. Il s'agit de la loi permettant la mise en place de programmes de financement, tels que monnaie, loterie, etc.

[116] Cela entraîna aussi la destruction du terrain de golf municipal, un scandale, selon le cinéaste Denys Arcand qui m'a demandé de le rappeler. C'est chose faite.

[117] McKENNA (Brian) et PURCELL (Susan). *Op. cit.*

[118] *Ibid.*

[119] *Ibid.*

[120] *La Presse*, 22 novembre 1975.

[121] Certains analystes dont Guy Pinard allèrent jusqu'à avancer, documents à l'appui, le chiffre de 3,3 milliards de dollars, une fois tout payé.

[122] GIGNAC (Benoit). *Lucien Rivard, le caïd au cœur du scandale, op. cit.*

[123] Tiré de la revue *Strates, Matériaux pour la recherche en sciences sociales.*

[124] LINTEAU (Paul-André). Brève histoire de Montréal, *op. cit.*

[125] LECLERC (Jean-Claude). *Le Devoir*, 8 novembre 1974.

[126] *La Presse*, 15 août 1999.

[127] CREUSOT (Daniel). *Op. cit.*

[128] *La Presse*, 12 novembre 1974.

[129] McKENNA (Brian) et PURCELL (Susan). *Op. cit.*

[130] Tiré de l'entrevue avec Lawrence Hannigan.

[131] *Le Devoir*, 14 et 15 août 1999.

[132] *Ibid.*

[133] MARSOLAIS (Claude). *La Presse*, 14 août 1999.

[134] *La Presse*, 27 janvier 2009.

[135] Tiré de l'entrevue avec Lawrence Hannigan.

[136] LEGAULT (Guy R.). *Op. cit.*

[137] McKENNA (Brian) et PURCELL (Susan). *Op. cit.*

[138] DUHAMEL (Alain). *Le Devoir*, 27 février 1979.

[139] ROY (Jean-Louis). *Le Devoir*, 6 novembre 1982.

[140] DUBUC (Jean-Guy) et ROY (Michel). *La Presse*, 13 novembre 1982.

[141] *La Presse*, 14 août 1999.

[142] *La Presse*, 15 mai 1991.

[143] BÉLIVEAU (Jules). *La Presse*, 26 octobre 1995.

[144] TRUDEL (Éric). *Montréal, ville d'avant-garde?*, Lanctôt, 2006.

[145] GIGNAC (Benoit). *Le destin Johnson, op. cit.*

[146] LINTEAU (Paul-André). *Histoire de Montréal depuis la Confédération, op. cit.*

[147] TRUDEL (Éric). *Op. cit.*

[148] FLORIDA (Richard). « How the crash will reshape America », *The Atlantic*, mars 2009.

[149] *La Presse*, 14 août 1999.

[150] CARDINAL (François). *La Presse*, 4 avril 2009.

Bibliographie, références et entrevues

Bibliographie

Archives de la Ville de Montréal

Archives de Radio-Canada

CLAIROUX (Benoît). *Le métro de Montréal, 35 ans déjà*, HMH Hurtubise, 2001.

CREUSOT (Daniel). *En quête de Jean Drapeau*, Sovimage, 1999.

DUCHESNE (André). *Le Canadien : un siècle de hockey à La Presse*, Éditions La Presse, 2008.

DUVAL (Laurent). *L'étonnant dossier de la Place des Arts*, Louise Courteau éditeur, 1988.

ENGLISH (John). *Trudeau citoyen du monde*, Tome 1, Éditions de l'Homme, 2006.

GERMAIN (Jean-Claude). *Le cœur rouge de la bohème, historiettes de ma première jeunesse*, HMH, 2008.

GIGNAC (Benoit). *Le destin Johnson*, Stanké, 2007.

GIGNAC (Benoit). *Lucien Rivard, le caïd au cœur du scandale*, Éditions Voix Parallèles, 2008.

GIGNAC (Benoit). *Québec 68, l'année révolution*, Éditions La Presse, 2008.

GODIN (Pierre). *René Lévesque, L'espoir et le chagrin*, Boréal, 2001.

La Presse

LACOURSIÈRE (Jacques). *Histoire populaire du Québec, 1960-1970*, Septentrion, 2008.

Le Devoir

LEDUC (Paul). *The Life, Times and Travels of Paul Leduc, a Memoir*, publié à compte d'auteur, 2008.

LEGAULT (Guy R.). *La ville qu'on a bâtie*, Liber, 2002.

LINTEAU (Paul-André). *Brève histoire de Montréal*, Boréal, 2007.

LINTEAU (Paul-André). *Histoire de Montréal depuis la Confédération*, Boréal, 1982.

McKENNA (Brian) et PURCELL (Susan). Jean Drapeau, Stanké, 1981.

PATENAUDE (J.-Z.-Léon). *Le vrai visage de Jean Drapeau*, Éditions du Jour, 1962.

PLANTE (Pax*). Montréal sous le règne de la pègre*, Éditions de l'Action nationale, 1949.

RUMILLY (Robert). *Histoire de Montréal*, Fides, 1974.

The Gazette

TRUDEL (Éric). *Montréal, ville d'avant-garde ?*, Lanctôt, 2006.

Entrevues

Bertrand Bergeron

Dinu Bumbaru

Jean-Robert Choquette

Jean Doré
Alain Duhamel
François Godbout
Lawrence Hannigan
Diane Lapenna
Jean-Claude Leclerc
Paul Leduc
Lise Mongeau
Brian Mulroney
John Parisella
Jean-Claude Rivest
Richard Vigneault

INDEX